前 言

情报，技术的瞬息万变，国家间的激烈竞争，使之当今世界已变成了小小的“地球村”。互相了解，相互交际更是摆在了我们的面前。随着韩国在国际社会中其地位的不断上升，学习韩语的必要性逐渐扩散起来，欲学习韩语的人数也与日俱增了。希望本书能成为你的好友伴随着你，并发现在学习韩语的中国朋友手上和手包里。

我们谨向参与完成本书的编写工作者表示由衷的感谢。

2001年 5月

（前）庆熙大学平生教育院院长　李淑子

编写说明

本教材是为短时间内初学韩语的中国人编写的。编写原则是从易到难，简单明了，实用有趣。内容有:介绍、问路、寒喧、数数、点菜、打电话、游览、购物、在银行、在洗衣店 等。

教材重点不在于详细的语法说明，而在于实用口语，情景会话。但基本的语法规则，根据汉语的习惯给予了相应的解释。课文后的练习供学生复习巩固已学过的内容，达到灵活运用的目的。

本教材的另一特色是便于发音，在韩语下面均附上了'国际音标'，单词和句子也加上了相应的汉语词义和语义。

本教材共有20课，分三个部分。(第一部分 1-6课，第二部分 7-13课，第三部分 14-20课) 每课又由 '会话'、'生词'、'关联词语'、'语法理解'、'练习'、'朗读练习' 等六个部分组成。

本书前附有韩语字母介绍，后附有索引。

凡 例

( )　　：两者任选其一。

→　　：“变为”或“改为”。

+　　：表明词素分界。

−　　：表明一个分界形式。

韩语的发音

收音的发音法 ： 辅音 ‘ㄷ〔t〕’，‘ㅌ〔t’〕’，‘ㅈ〔j〕’，‘ㅊ〔ch’〕’，‘ㅅ〔s〕’，‘ㅆ〔ss〕’ 放在音节最后的位置即收音时发不出声的音；‘ㄱ〔k〕’ 和 ‘ㅋ〔k’〕’ 作为收音时，发不出声的 ‘ㄱ〔k〕’；‘ㅂ〔p〕’ 和 ‘ㅍ〔p’〕’ 作为收音时， 发不出声的 ‘ㅂ〔p〕’ 和 ‘ㅍ〔p’〕’ 作为一个不出声的 ‘ㅂ〔p〕’。

Ex) 밭　〔받〕　田　　　빛　〔빋〕　光

부엌　〔부억〕　厨房　　　앞　〔압〕　前

连音规则：前一个音节有收音，而后一个为无辅音的元音的元音音节，两个音节读时，前一个音节的收音辅音字母应移到后一个节的辅音位置上。

Ex) 한국어　〔한구거〕　韩语　　　묻어　〔무더〕　沾

직업　〔지겁〕　职业　　　월요일　〔워료일〕　星期一

紧轻音化规则：前一个音节的收音字母除了 ‘ㄴ〔n〕，ㄹ〔l〕，ㅁ〔m〕，ㅇ〔ng〕，ㅎ〔h〕’ 以外的其他辅音 ‘ㄱ〔k〕，ㄷ〔t〕，ㅂ〔p〕，ㅅ〔s〕，ㅈ〔ch〕’ 与后一个音节结合时发出 ‘ㄲ〔kk〕’ ‘ㄸ〔tt〕’，‘ㅃ〔pp〕’，‘ㅆ

〔ss〕', 'ㅉ〔tch〕' 等紧音。

Ex) 학교 〔학꾜〕 学校 닫다 〔닫따〕 关

맛보다 〔맏뽀다〕 尝 젖다 〔젇따〕 淋湿

鼻音化规则：前一个音节的收音字母为 'ㄱ〔k〕, ㄷ〔t〕, ㅂ〔p〕', 在后面的音节为 'ㅁ〔m〕, ㄴ〔n〕, ㅇ〔ng〕' 时，前者受后者的影响变为同类鼻音。

Ex) 낱말 〔난말〕 词语 작년 〔장년〕 去年

腭化规则：前一个音节的收音字母为 'ㄷ〔t〕, ㅌ〔t'〕', 后一个音节为 '이〔个〕' 的时候， 后者音为 'ㅈ' 或 'ㅊ'。

Ex) 맏이 〔마지〕 老大 같이 〔가치〕 一起

流音化规则：前一个音节的辅音为 'ㄹ〔l〕' 时，前一个音节的辅音 'ㄴ〔n〕' 变为 'ㄹ〔l〕'。

Ex) 천리 〔철리〕 1,000里 달나라 〔달라라〕 月宫

送气规则：前一个音节的收音字母为 'ㅎ〔h〕' 时，后一个音节的辅音变为送气辅音。

Ex) 좋다 〔조타〕 好 많다 〔만타〕 多

复元音的发音方法：连读的一组元音可缩写为：

Ex) 오〔o〕+아〔a〕 → 와〔wa〕 우〔u〕+어〔eo〕 → 워〔wo〕 이〔i〕+아〔a〕 → 야〔ya〕

이〔i〕+어〔eo〕 → 여〔yeo〕 이〔i〕+오〔o〕 → 요〔yo〕 이〔i〕+우〔u〕 → 유〔yu〕

아〔a〕+이〔i〕 → 애〔ae〕

目 录

第一部分

第三部分

한국 지도

韓国地図

Sokcho
Seoraksan
Chuncheon
Ulleungdo
Dokdo
Dongducheon
Panmunjeom
Odaesan
Uijeongbu
Gangneung
SEOUL
Guri
Ganghwa
Gwangmyeong
Donghae
INCHEON
Seongnam
Samcheok
Anyang
Jeongseon
Suwon
Wonju
Taebaek
Chiaksan
Songtan
Jecheon
Taebaeksan
Pyongtaek
Sobaeksan
Onyang
Cheonan
Woraksan
Yeongju
Cheongju
Andong
Gongju
Jeomchon
Songnisan
Gyeryongsan
Daejeon
Sangju
Juwangsan
Daecheon
Gumi
Gimcheon
Pohang
Yeongcheon
DAEGU
Gyongju
Gayasan
Jeonju
Tohamsan
Deokyusan
Ulsan
Jeongeup
Seonunsan
Naejangsan
Namwon
Jirisan
Gimhae
Changwon
BUSAN
Jinhae
Jinju
Masan
GWANGJU
Gwangyang
Naju
Samcheonpo
Chungmu
Suncheon
Yeochon
Mokpo
Wolchulsan
Yeosu
JEJUDO
Jeju
Seogwipo

1 韩语的基本元音 (한글의 기본 모음)

元音	发音	笔顺	读写练习				
ㅏ	a 아	ㅏ (1↓, 2→)	ㅏ ㅏ	ㅏ ㅏ		사자 saja 狮子	
ㅑ	ya 야	ㅑ (1↓, 2→, 3→)	ㅑ ㅑ	ㅑ ㅑ		야구 yagu 棒球	
ㅓ	eo 어	ㅓ (1→, 2↓)	ㅓ ㅓ	ㅓ ㅓ		머리 meori 头	
ㅕ	yeo 여	ㅕ (1→, 2→, 3↓)	ㅕ ㅕ	ㅕ ㅕ		별 byeol 星星	
ㅗ	o 오	ㅗ (1↓, 2→)	ㅗ ㅗ	ㅗ ㅗ		모자 moja 帽子	
ㅛ	yo 요	ㅛ (1↓, 2↓, 3→)	ㅛ ㅛ	ㅛ ㅛ		교회 gyohwoe 教堂	
ㅜ	u 우	ㅜ (1→, 2↓)	ㅜ ㅜ	ㅜ ㅜ		우유 uyu 牛奶	

元音	发音	笔顺	读写练习				
ㅠ	yu 유	ㅠ 1 2 3	ㅠ ㅠ	ㅠ ㅠ		귤 gyul 橘子	
ㅡ	eu 으	ㅡ 1	ㅡ ㅡ	ㅡ ㅡ		트럭 teureok 卡车	
ㅣ	i 이	ㅣ 1	ㅣ ㅣ	ㅣ ㅣ		기차 gicha 火车	
ㅐ	ae 애	ㅐ 1 2 3	ㅐ ㅐ	ㅐ ㅐ		개구리 kaeguri 青蛙	
ㅒ	yae 얘	ㅒ 1 2 3 4	ㅒ ㅒ	ㅒ ㅒ		얘 yae 孩子	
ㅔ	e 에	ㅔ 1 2 3	ㅔ ㅔ	ㅔ ㅔ		게 ge 螃蟹	
ㅖ	ye 예	ㅖ 1 2 3 4	ㅖ ㅖ	ㅖ ㅖ		계단 gyedan 阶梯	

元音	发音	笔顺	读写练习	
ㅘ	wa 와	ㅘ	ㅘ ㅘ ㅘ ㅘ	과일 gwail 水果 
ㅙ	wae 왜	ㅙ	ㅙ ㅙ ㅙ ㅙ	돼지 dwaeji 猪 
ㅚ	oe 외	ㅚ	ㅚ ㅚ ㅚ ㅚ	왼쪽 oenjjok 左边 
ㅝ	wo 워	ㅝ	ㅝ ㅝ ㅝ ㅝ	원숭이 wonsung-i 猴子 
ㅞ	we 웨	ㅞ	ㅞ ㅞ ㅞ ㅞ	웨이터 weiteo 招待员 
ㅟ	wi 위	ㅟ	ㅟ ㅟ ㅟ ㅟ	귀 gwi 耳朵 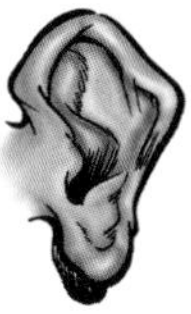
ㅢ	ui 의	ㅢ	ㅢ ㅢ ㅢ ㅢ	의사 uisa 医生 

❷ 韩语的基本辅音 (한글의 기본 자음)

辅音	发音	笔顺	读写练习				
ㄱ	g, k 〔giyeok〕	ㄱ	ㄱ ㄱ	ㄱ ㄱ		가위 gawi 剪刀	
ㄴ	n 〔nieun〕	ㄴ	ㄴ ㄴ	ㄴ ㄴ		나비 nabi 蝴蝶	
ㄷ	d, t 〔digeut〕	ㄷ	ㄷ ㄷ	ㄷ ㄷ		도로 doro 公路	
ㄹ	r, l 〔rieul〕	ㄹ	ㄹ ㄹ	ㄹ ㄹ		로켓 roket 火箭	
ㅁ	m 〔mieum〕	ㅁ	ㅁ ㅁ	ㅁ ㅁ		말 mal 马	
ㅂ	b, p 〔bieup〕	ㅂ	ㅂ ㅂ	ㅂ ㅂ		바지 baji 裤子	
ㅅ	s 〔siot〕	ㅅ	ㅅ ㅅ	ㅅ ㅅ		사과 sagwa 苹果	

辅音	发音	笔顺	读写练习			
ㅇ	ø, ng 〔ieung〕	ㅇ	ㅇ ㅇ	ㅇ ㅇ		아기 agi 婴儿 
ㅈ	j 〔jieut〕	ㅈ	ㅈ ㅈ	ㅈ ㅈ		장미 jangmi 玫瑰 
ㅊ	ch 〔chieut〕	ㅊ	ㅊ ㅊ	ㅊ ㅊ		책 chaek 书 
ㅋ	k 〔kieuk〕	ㅋ	ㅋ ㅋ	ㅋ ㅋ		코 ko 鼻子 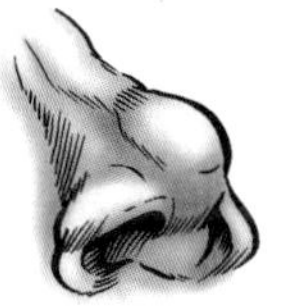
ㅌ	t 〔tieut〕	ㅌ	ㅌ ㅌ	ㅌ ㅌ		탑 tap 塔 
ㅍ	p 〔pieup〕	ㅍ	ㅍ ㅍ	ㅍ ㅍ		팔 pal 胳膊 
ㅎ	h 〔hieut〕	ㅎ	ㅎ ㅎ	ㅎ ㅎ		하늘 haneul 天空 

辅音	发音	笔顺	读写练习				
ㄲ	kk 〔ssanggiyeok〕	ㄲ	ㄲ ㄲ ㄲ ㄲ			꽃 kkot 花	
ㄸ	tt 〔ssangdigeut〕	ㄸ	ㄸ ㄸ ㄸ ㄸ			뚱보 ttungbo 胖子	
ㅃ	pp 〔ssangbieup〕	ㅃ	ㅃ ㅃ ㅃ ㅃ			빵 ppang 面包	
ㅆ	ss 〔ssangsiot〕	ㅆ	ㅆ ㅆ ㅆ ㅆ			싸움 ssaum 打架	
ㅉ	jj 〔ssangjieut〕	ㅉ	ㅉ ㅉ ㅉ ㅉ			쪽지 jjokji 纸条	

❸ 辅音 (받침)

辅音	发音	笔顺	读写练习			
ㄱ	-k	ㄱ, ㅋ, ㄳ, ㄺ, ㄲ	학교 hakgyo 学校		닭 dak 鸡	
ㄴ	-n	ㄴ, ㄵ, ㄶ	전화 jeonhwa 电话		많다 manta 多	
ㄷ	-t	ㄷ, ㅅ, ㅆ, ㅈ, ㅊ, ㅌ, ㅎ	옷 ot 衣服		빛 bit 光	
ㄹ	-l	ㄹ, ㄼ, ㄾ, ㅀ, ㄺ, ㄽ	얼굴 eolgul 脸		여덟 yeodeol 八	
ㅁ	-m	ㅁ, ㄻ	담배 dambae 香烟		젊다 jeomda 年轻	
ㅂ	-p	ㅂ, ㅍ, ㅄ, ㄼ, ㄿ	접시 jeopsi 碟子		잎 ip 叶	
ㅇ	-ng	ㅇ	종 jong 钟		병아리 byeong-ari 小鸡	

한국의 전통 문화 I

韩国的传统文化 I

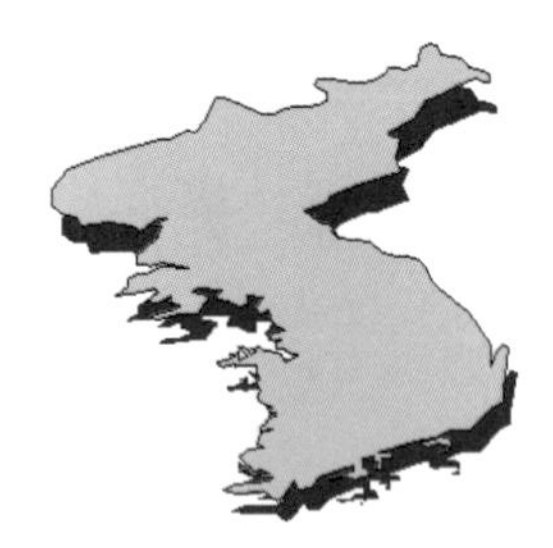

한국 지도
hanguk jido
韩国地图

태극기
taegeuk-gi
太极旗

널뛰기
neolttwigi
跳跳板

댕기머리
daenggimeori
扎辫子

부채춤
buchaechum
扇子舞

스님
seunim
和尚

상모돌리기
sangmodolligi
韩国古代庆祝丰收的舞蹈

신부
sinbu
新娘

살풀이춤
salpurichum
韩国古代舞的一种
祭祀前驱鬼的活动

가마
gama
轿子

갓
gat
韩国古代帽子的一种

곰방대
gombangdae
烟杆斗

한국의 전통 문화 Ⅱ

韩国的传统文化 Ⅱ

남대문
namdaemun
南大门

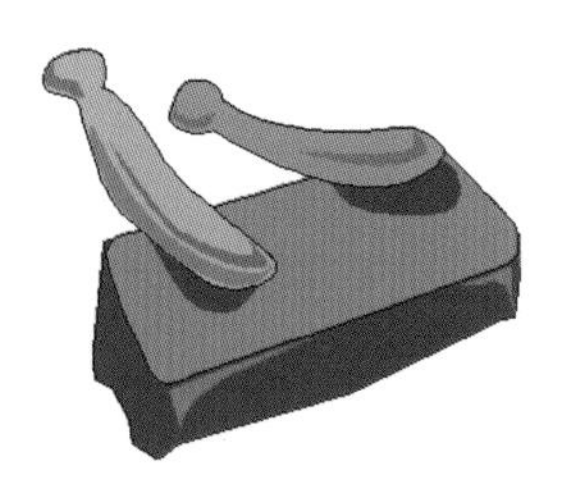

다듬이
dadeumi
平整衣物时用的器物

탑
tap
塔

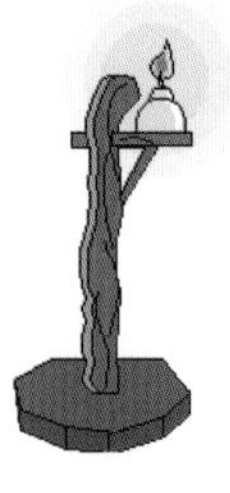

등잔
deungjan
灯盏

떡
tteok
糕

맷돌
maetdol
磨盘

화로
hwaro
火盆

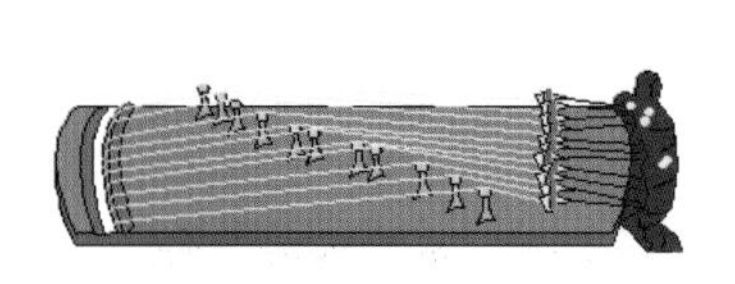

가야금
gayageum
伽倻琴

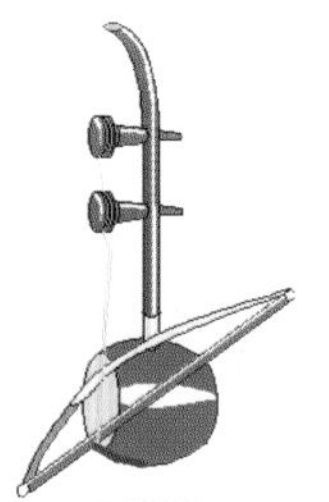

해금
haegeum
奚琴

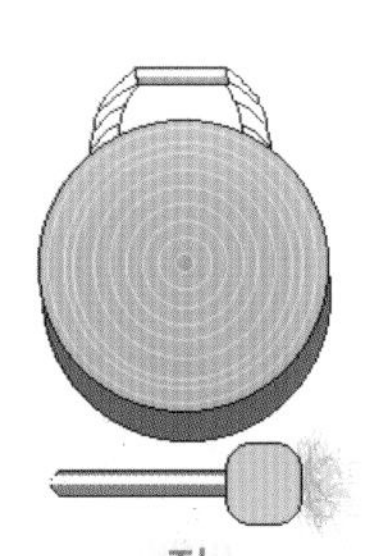

징
jing
锣

아쟁
ajaeng
牙筝

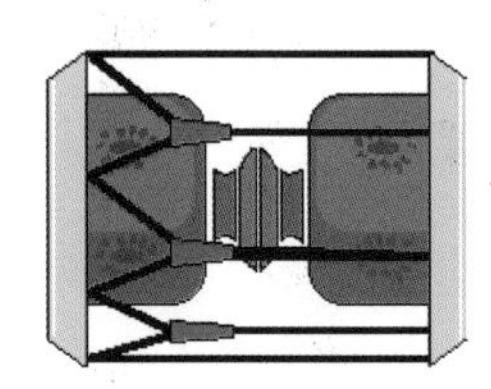

장구
jang-gu
长鼓

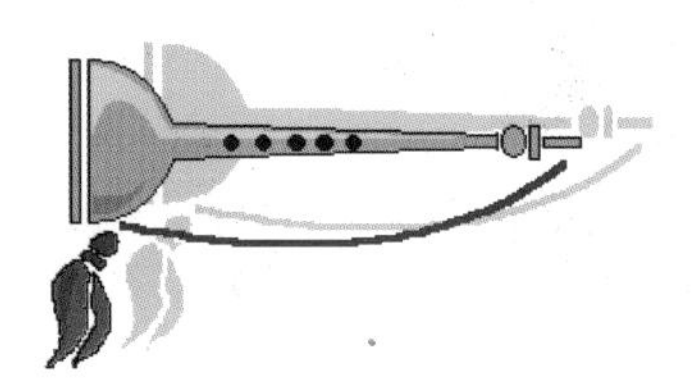

태평소
taepyeongso
唢呐

피리
piri
笛

■ 瓦顶

■ 首尔 市内

■ 跆拳道

제 1 과

第1课

안녕하세요? 你好吗?

句型

1. 안녕하세요? 你好?
   annyeonghaseyo
2. 당신은 어느 나라 사람입니까? 你是哪国人?
   dangsineun eoneu nara saramimnikka

会 话

会 话 1

수미: 안녕하세요? 你好?
annyeonghaseyo

헨리: 안녕하세요. 你好。
annyeonghaseyo

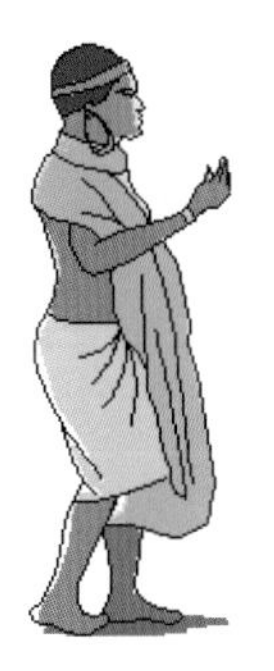

수미: 이름이 무엇입니까?
ireumi mueosimnikka
你叫什么名字?

헨리: 헨리입니다. 我叫henry。
henriimnida

당신의 이름은 무엇이에요? 你叫什么名字?
dangsinui ireumeun mueosieyo

수미: 제 이름은 이수미입니다. 我叫이수미。
je ireumeun isumiimnida

만나서 반갑습니다. 见到你很高兴。
mannaseo bangapseumnida

헨리: 만나서 반갑습니다. 见到你我也很高兴。
mannaseo bangapseumnida

会 话 2

수미: 당신은 어느 나라 사람입니까?
dangsineun eoneu nara saramimnikka
你是哪国人?

헨리: 저는 나이지리아 사람입니다.
jeoneun naijiria saramimnida
我是尼日利亚人。

수미: 당신도 나이지리아 사람입니까?
dangsindo naijiria saramimnikka
你也是尼日利亚人吗?

존슨: 아니오, 나이지리아 사람이 아닙니다.
anio naijiria sarami animnida
不, 我不是尼日利亚人。

저는 미얀마 사람입니다.
jeoneun miyanma saramimnida
我是缅甸人。

生 词

• 안녕하세요?	你好!	• 미얀마	缅甸	• 반갑습니다	(见到你)很高兴
• 무엇입니까?	(是)什么	• 어느	什么/哪	• 제, 저, 나	我
• 이름	名字	• 나이지리아	尼日利亚	• 만나다	见
• 당신, 너	你	• 아니오	不是/不	• 사람	人
• ~이다	是~	• 아니다	不是/不	• 나라	国/国家

关联词语

미국 [miguk] 美国	나이지리아 [naijiria] 尼日利亚
일본 [ilbon] 日本	미얀마 [miyanma] 缅甸
중국 [jungguk] 中国	파키스탄 [pakistan] 巴基斯坦
호주 [hoju] 澳大利亚	한국 [hanguk] 韩国

语法理解

① '안녕하세요?' : 跟别人打招呼时用，是 '你好' 的意思。

② '～이', '～가' : 附在主语后面的助词。一般是名词＋'～이', '～가' 的形态。

～이	～가
책이 있습니다. chaegi itseumnida (这儿/那儿)有书。	이름이 무엇입니까? ireumi mueosimnikka 你叫什么名字?
시계가 있습니다. sigyega itseumnida (这儿/那儿)有表。	나무가 있습니다. namuga itseumnida (这儿/那儿)有树。

③ ～은/는 : 附在主语后面的助词。一般是名词＋'～은,～는' 的形态。

～은	～는
제 이름은 헨리입니다. je ireumeun henriimnida 我叫henry。	나라 이름은 무엇입니까? nara ireumeun mueosimnikka 你们国家的名称是什么?
저는 나이지리아 사람입니다. jeoneun naijiria saramimnida 我是尼日利亚人。	수미는 한국 사람입니다. sumineun hanguk saramimnida 수미是韩国人。

④ ～입니다 : 动词，相当于汉语的 '是'。

～입니다

수미입니다. sumiimnida 是수미。	케냐 사람입니다. kenya saramimnida 是肯尼亚人。

5 ~까? ~입니까? : 疑问句词尾。

~입니까? : 肯定疑问文
~아닙니까? : 否定疑问文

어느 나라 사람입니까?
eoneu nara saramimnikka
你是哪国人?

이름이 무엇입니까?
ireumi mueosimnikka
你叫什么名字?

한국 사람이 아닙니까?
hanguk sarami animnikka
你不是韩国人吗?

6 回答问题时用 '예' 跟 '아니오'。肯定的回答用 '예', 否定的回答用 '아니오'。'예' 是 '是, 对' 的意思, '아니오' 是 '不是, 不对' 的意思。

예	**아니오**

긍정의문문(肯定疑问句)

당신은 미국 사람입니까? 你是美国人吗?
dangsineun miguk saramimnikka

예, 미국 사람입니다. 是, 我是美国人。
ye miguk saramimnida

아니오, 미국 사람이 아닙니다. 不, 我不是美国人。
anio miguk sarami animnida

부정의문문(否定疑问句)

당신은 미국 사람이 아닙니까? 你不是美国人吗?
dangsineun miguk sarami animnikka

아니오, 미국 사람입니다. 不是, 我是美国人。
anio miguk saramimnida

예, 미국 사람이 아닙니다. 是, 我不是美国人。
ye miguk sarami animnida

1 替换练习

(1) 问：이름이 무엇이에요?
　　你叫什么名字?
　答：제 이름은 헨리입니다.
　　我叫henry。

이수미 isumi
존슨 jonseun
영주 yeongju
야마다 yamada

(2) 问：당신은 어느 나라 사람입니까?
　　你是哪国人?
　答：저는 나이지리아 사람입니다.
　　我是尼日利亚人。

미얀마 miyanma
중국 jungguk
한국 hanguk
러시아 reoshia

2 填空

은,	는,	이,	가,	을,	를
eun	neun	i	ga	eul	reul

(1) 제 이름(　) 헨리입니다.
　我的名字是henry。

(2) 책(　) 있습니다.
　(这儿/那儿)有书。

(3) 이름(　) 무엇입니까?
　你的名字叫什么?

(4) 저(　) 나이지리아 사람입니다.
　我是尼日利亚人。

(5) 당신(　) 어느 나라 사람입니까?
　你是哪国人?

3 回答问题

例子

Q：당신은 미국 사람입니까?　　你是美国人吗?
A：예, 저는 미국 사람입니다.　　是，我是美国人。
　아니오, 저는 미국 사람이 아닙니다.　　不，我不是美国人。

(1) 당신은 나이지리아 사람입니까?　　(예) ____________________
　你是尼日利亚人吗?

(2) 당신은 한국 사람입니까?　　(아니오) ____________________
　你是韩国人吗?

(3) 당신은 미얀마 사람입니까?　　(예) ____________
你是缅甸人吗?

(4) 당신은 중국 사람입니까?　　(예 / 아니오) ____________
你是中国人吗?

(5) 당신은 일본 사람입니까?　　(예 / 아니오) ____________
你是日本人吗?

朗读练习

(1) 당신의 이름은 무엇입니까?
你叫什么名字?

(2) 제 이름은 이수미입니다.
我叫이수미。

(3) 만나서 반갑습니다. 안녕히 계세요.
见到你很高兴。 再见。

(4) 당신은 어느 나라 사람입니까?
你是哪国人?

(5) 저는 한국 사람입니다.
我是韩国人。

노란색 ○	黄色	검은색 ●	黑色
빨간색 ●	红色	흰 색 ○	白色
파란색 ●	蓝色	분홍색 ●	粉红色
보라색 ●	紫色	초록색 ●	绿色
회 색 ●	灰色	연두색 ●	浅绿色
주황색 ●	橘黄色	하늘색 ●	浅蓝色

제 2 과

第2课

아버지의 직업은 무엇입니까?

你父亲做什么工作?

句型

1. 아버지의 직업은 무엇입니까? 你父亲做什么工作?
   abeojiui jigeobeun mueosimnikka
2. 당신은 지금 무엇을 합니까? 你现在做什么?
   dangsineun jigeum mueoseul hamnikka

■ 会 话 ■

会 话 1

수미: 당신의 가족을 소개해 주세요.
dangsinui gajogeul sogaehae juseyo
请介绍一下你一家人。

헨리: 아버지, 어머니, 형, 동생이 있습니다.
abeoji eomeoni hyeong dongsaeng-i itseumnida
我有爸爸, 妈妈, 哥哥 和 弟弟。

수미: 아버지의 직업은 무엇입니까?
abeojiui jigeobeun mueosimnikka
你父亲做什么工作?

헨리: 회사원입니다. 他是公司职员。
hoesawonimnida

会 话 2

수미: 당신은 지금 무엇을 합니까?
dangsineun jigeum mueosul hamnikka
你现在做什么?

헨리: 저는 태평양 대학교에서 한국어를 배웁니다.
jeoneun taepyeongyang daehakgyoeseo hangugeoreul baeumnida
我在太平洋大学学习韩语。

수미: 한국어는 재미있습니까? 学韩语有意思吗?
hangugeoneun jaemiitseumnikka

헨리: 네, 어렵지만 재미있습니다.
ne eolyeopjiman jaemiitseumnida
是啊！虽然难，但很有意思。

수미: 한국인 친구가 있습니까?
hangugin chin-guga itseumnikka
你有韩国朋友吗?

헨리: 네, 많습니다.
ne manseumnida.
有，很多。

▪生 词▪

• 당신의	你的	• 가족	家人
• 소개하다	介绍	• 주다/주세요	给
• 아버지	父亲 / 爸爸	• 어머니	母亲 / 妈妈
• 형, 오빠	哥哥	• 동생	弟弟 / 妹妹
• 직업	职业 / 工作	• 회사원	(公司)职员
• 지금	现在	• 무엇을 합니까?	做什么?
• 태평양 대학교	太平洋大学	• 한국어	韩国语 / 韩语
• 배우다	学习 / 学	• 재미있다	有意思
• 한국인	韩国人	• 친구	朋友
• 많습니다	多		

关联词语

가족 (家族)

할아버지 爷爷 / 祖父
harabeoji

할머니 奶奶 / 祖母
halmeoni

아버지 爸爸 / 父亲
abeoji

어머니 妈妈 / 母亲
eomeoni

오빠 哥哥
oppa
형 哥哥
hyeong

언니 姐姐
eonni
누나 姐姐
nuna

남동생
namdongsaeng
弟弟

여동생
yeodongsaeng
妹妹

직업 (职业)

의사 大夫／医生
uisa

간호사 护士
ganhosa

경찰관 警察
gyeongchalgwan

소방관 消防队员
sobanggwan

아나운서 广播员
anaunseo

가수 歌手
gasu

语法理解

① '～의'：结构助词，是 '～的'，'～之' 的意思。

～의：所有格助词	～的，～之

당신의 가족
dangsinui gajok
你的一家人

나의 직업
naui jigeob
我的职业

수미의 언니
sumiui eonni
秀美的姐姐

자연의 아름다움
jayeonui areumdaum
自然之美

② '~을/를' : 做宾语的助词。一般用名词+ '~을,~를' 的形态。

가족을 : 家人　　**아버지를** : 父亲

가족을 소개해 주세요.
gajogeul sogaehae juseyo
请介绍一下你们一家人。

아버지를 소개해 주세요.
abeojireul sogaehae juseyo
请介绍一下你的父亲。

③ '무엇' : 是疑问代词, 是'什么'的意思。

무엇을 합니까? : 你做什么?

지금 무엇을 합니까?
jigeum mueoseul hamnikka
现在做什么?

당신은 무엇을 합니까?
dangsineun mueoseul hamnikka
你做什么?

친구는 무엇을 합니까?
chin-guneun mueoseul hamnikka
你的朋友做什么?

④ ~ㅂ니다/습니다- : 是敬语, 用在叙述句尾。相当于多 '是…'。
~ㅂ니까?/습니까?- : 是敬语, 用在疑问句尾。相当于多 '是…吗'。

~ㅂ니다./습니다. : 是。
~ㅂ니까?/습니까? : 是吗?

이다. ida	입니다. imnida	是。	있다. itda	있습니다. itseumnida	有。
	입니까? imnikka	是吗?		있습니까? itseumnikka	有吗?

⑤ '저' 是 '我' 的意思。韩语里 '나', '저' 都是 '我' 的意思。可是 '저' 是比 '나' 谦虚的说法。

	一般(单数)	尊称(单数)	一般(复数)	尊称(复数)
第一人称	나 na	저 jeo	우리들 urideul	저희들 jeohuideul
第二人称	너 neo	당신 dangsin	너희들 neohuideul	당신들 dangsindeul
第三人称	그 geu	그분 geubun	그들 geudeu geunyeodeul	그분들 geubundeul

⑥ '~지만' 相当于汉语的 '但是'，'可是'。一般用动词＋ '~지만' 的形态。

~지만 : 但是/可是

어렵지만 재미있습니다. 很难，但是有意思。
eoryeopjiman jaemiitseumnida
힘들지만 재미있습니다. 很累，但是有意思。
himdeuljiman jaemiitseumnida

练　习

1 替换练习

(1) 아버지의 직업은 무엇입니까? 你父亲做什么工作?

例子
어머니 eomeoni　할아버지 harabeoji　할머니 halmeoni　형 hyeong　동생 dongsaeng

(2) 아버지의 직업은 의사입니다. 我父亲是医生。

例子
선생님 seonsaengnim　운전기사 unjeongisa　회사원 hoesawon
경찰관 gyeongchalgwan　소방관 sobanggwan

(3) 한국어는 재미있습니까? 韩语有意思吗?

例子
중국어 jungjugeo　영어 yeong-eo　일본어 ilboneo　미얀마 어 miyanmaeo　러시아 어 reosiaeo

(4) 친구가/이 많습니다. 我有很多朋友。

例子
나라 nara　형 hyeong　가족 gajok　회사 hoesa　동생 dong saeng

(5) 请照例句完成句子。

例子

회사원이다. → 회사원입니다. 是公司职员。

한국어를 배우다. → ______________________.

동생이 있다. → ______________________.

재미있다. → ______________________.

많다. → ______________________.

朗读练习

(1) 형의 직업은 무엇이에요?
你哥哥做什么工作?

(2) 헨리, 지금 무엇을 해요?
henry, 现在干什么?

(3) 저는 태평양 대학교에서 한국어를 배워요.
我在太平洋大学学韩语。

(4) 저는 한국인 친구가 많습니다.
我有很多韩国朋友。

(5) 한국어는 재미있습니다.
韩语很有意思。

第一部分

제 3 과 第3课

어디 있어요? 在哪儿?

句型

1. 화장실이 어디 있어요? 卫生间在哪儿?
   hwajangsiri eodi isseoyo
2. 약국 오른쪽에 있어요. 在药房的右边。
   yakguk oreunjjoge isseoyo

▪ 会 话 ▪

会 话 1

헨리: 실례합니다. 화장실이 어디 있어요?
sillyehamnida hwajangsiri eodi isseoyo
请问，卫生间在哪儿?

사람: 저기 약국이 보여요?
jeogi yakgugi boyeoyo
你看得见那儿的药房吗?

헨리: 네, 보여요.
ne boyeoyo
啊，看到了。

사람: 약국 오른쪽에 있어요.
yakguk oreunjjoge isseoyo
卫生间就在药房的右边。

헨리: 고맙습니다.
gomapseumnida
谢谢你。

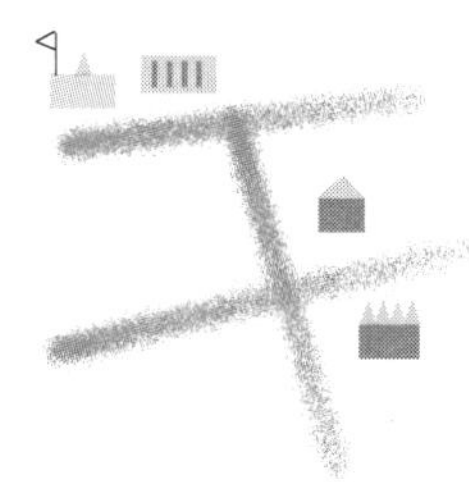

会 话 2

헨리: 실례합니다. 경찰서가 어디 있어요?
sillyehamnida gyeongchalseoga eodi isseoyo
请问，警察局在哪儿?

지갑을 잃어버렸어요.
jigabeul ireoboryeosseoyo
我丢了钱包。

사람: 저 쪽으로 한 블록 가세요.
jeo jjogeuro han beulleok gaseyo
往那儿再走一段路。

대한 슈퍼 옆에 있어요.
daehan syupeo yeope isseoyo
就在大韩商店的旁边。

헨리: 감사합니다. 谢谢你。
gamsahamnida

■生 词■

• 실례합니다	请问	• 약국	药房	• 이쪽	这边
• 감사합니다	谢谢(你)	• 보다	看	• 저쪽	那边
• 고맙습니다	谢谢(你)	• 오른쪽에	右边	• 옆에	旁边
• 화장실	卫生间	• 왼쪽에	左边	• 한	一
• 어디	哪儿 / 哪里	• 경찰서	警察局	• 블록	段
• 있다	有 / 在	• 지갑	钱包	• 가다/가세요	走
• 있어요?	有吗?	• 잃어버리다	丢	• 잃어버렸어요	丢了
• 저기	那儿 / 那里	• 대한 슈퍼	大韩商店		

关联词语

방향에 관한 단어 (方位词)

왼쪽 左边
oreunjjok

오른쪽 右边
oreunjjok

저 쪽 那边
jeo jjok

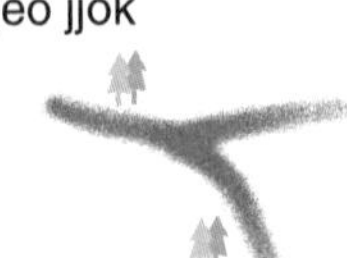

이 쪽 这边
i jjok

위치에 관한 단어 (方位词)

앞 前边
ap

뒤 后边
dwi

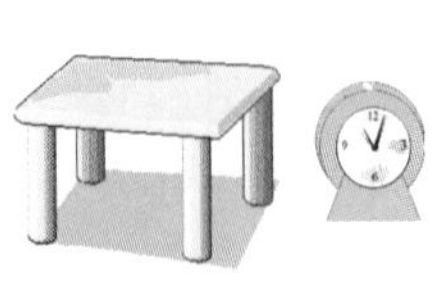

옆 旁边
yeop

위 上边
wi

아래 下边
arae

안 里边
an

语法理解

① '요?' : 是疑问词尾。一般是动词＋'요?' 的形态。

있다./있어요?	**보이다./보여요?**

화장실이 어디 있어요?
hwajangsiri eodi isseoyo
卫生间在哪儿?

약국이 보여요?
yakgugi boyeoyo
你看得见药房了吗?

② '어디' : 疑问代词，是'哪儿' 的意思。

어디 있어요?

어디 있어요?
eodi isseoyo
在哪儿?

어디 가세요?
eodi gaseyo
去哪儿?

③ '~요' 是敬语的形态。

있어요. : 有。/在。

오른쪽에 있어요.
oreunjjoge isseoyo
~在右边。

슈퍼 앞에 있어요.
syupeo ape isseoyo
~在商店前边。

④ 如果对某人表示感谢用 '고맙습니다' 或者 '감사합니다'。

고맙습니다. : 谢谢。
감사합니다. : 谢谢。
실례합니다. : 请问。
괜찮습니다. : 没关系。
좋습니다. : 好。

⑤ '~어' : 这个词可用于连接两个动词。

잃어버리다./잃어버렸어요. : 丢。/丢了。

잃다+버리다 → 잃어버리다. 丢+掉
ilta+beorida　　ireobeorida

잃어버리+었+어요 → 잃어버렸어요. 丢掉了。
ireobeori+eot+eoyo　　ireobeoryeosseoyo

죽다+버리다 → 죽어버리다. 死+掉
jukda+beorida　　jugeobeorida

죽어버리+었+어요 → 죽어버렸어요. 死了/死掉了。
jugeobeori+eot+eoyo　　jugeobeoryeosseoyo

⑥ '~시' 附于动词之后，变为敬语的形态。

> **가다./가세요.** : 去，走/去(走)吧!

가(다)+시+어요 → 가세요. 走吧!
gaseyo

오(다)+시+어요 → 오세요. 来吧!
oseyo

练　习

1 请用下例单词填空。

例子

• 강의실	教室	• 은행	银行	• 지하철	地铁
• 백화점	百货商场	• 모텔	旅馆	• 공장	工厂
• 공중전화	公用电话	• 사무실	办公室	• 병원	医院
• 우체국	邮局	• 공원	公园		
• 편의점	小卖店	• 버스정류장	公共汽车站		
• 동사무소	街道办事处				

(1) __________이/가 어디 있어요?　__________이/가 어디 있어요?
(2) __________이/가 어디 있어요?　__________이/가 어디 있어요?
(3) __________이/가 어디 있어요?　__________이/가 어디 있어요?
(4) __________이/가 어디 있어요?　__________이/가 어디 있어요?

2 请用方位词填空。

(1) ____________에 있어요. (2) ____________에 있습니다.

(3) ____________에 있어요. (4) ____________에 있습니다.

(5) ____________에 있어요. (6) ____________에 있습니다.

3 请用方位词填空。

(1) ____________에 있어요. (2) ____________에 있습니다.

(3) ____________에 있어요. (4) ____________에 있습니다.

(5) ____________에 있어요. (6) ____________에 있습니다.

4 请用适当的词语完成下面的会话。

가: 공원이 ______________?

나: ____________에 있어요.

가: ___________이 어디 있어요?

나: 왼쪽에 ______________.

朗读练习

(1) 동사무소가 어디 있어요?
请问，街道办事处在哪儿？

(2) 저 쪽으로 가세요.
请到那边去。

(3) 슈퍼 오른쪽에 있어요.
在商店的右边。

(4) 가방을 잃어버렸어요.
我的书包丢了。

(5) 경찰서 앞에 있어요.
在警察局的前边。

韩国的公休日（공휴일）〔gonghyu-il〕

- **설날〔seolnal〕春节:**
  农历正月初一是韩国最大传统节日之一，这一天全家人身穿民族服装举行祭祀祖先的仪式。

- **3.1절〔samiljeol〕3・1节:**
  民族独立运动日。1919年3月1日，为反抗日本帝国主义的统治，在탑골公园发表了独立宣言。

- **어린이날〔eorininal〕儿童节:**
  5月5日儿童节，这一天儿童可免费游览公园，动物园，博物馆等。

- **석가탄신일〔seokgatansinil〕释迦牟尼诞辰日:**
  农历4月初八，佛教的创始人释迦牟尼诞生的日子。这天佛教徒们在寺院举行隆重的纪念仪式，晚上佛教信徒们提莲花灯列队游行。

- **광복절〔gwangbokjeol〕光复节:**
  8月15日，这一天是纪念1945年8月15日打败日本帝国主义，国家恢复主权，民族得到解放的一天。

- **추석〔chuseok〕中秋节:**
  农历8月15日，一年当中最重要的节日，庆祝一年丰收的同时，感谢祖先，给祖先上坟的日子。

- **크리스마스〔keurismas〕圣诞节:**
  12月25日，与大多数西方国家一样，在韩国也是一个法定的假日。

제 4 과

第4课

이것은 한국어로 무엇입니까?

这个用韩语叫什么?

句型

1. 이것은 무엇입니까? 这是什么?
   igeoseun mueosimnikka
2. 이것은 한국어로 무엇입니까? 这个用韩语叫什么?
   igeoseun hangugeoro mueosimnikka

■会 话■

会 话 1

헨리: 이것은 무엇입니까?
igeoseun mueosimnikka
这是什么?

수미: 그것은 운동화입니다.
geugeoseun undonghwaimnida
那是运动鞋。

헨리: 그러면, 저것은 무엇이에요?
geureomyeon jeogeoseun mueosieyo
那么，那是什么?

수미: 가방입니다. 那是皮包。
gabang-imnida

헨리: 가방이 예쁘군요.
gabang-i yeppeugunyo
那皮包很漂亮。

会 话 2

헨리: 이것은 한국어로 무엇입니까?
igeoseun hangugeoro mueosimnikka
这个用韩语叫什么?

수미: 목걸이입니다. 叫项链。
mokgeoriimnida

헨리: 이것은 한국어로 바지입니까?
igeoseun hangugeoro bajiimnikka
这个用韩语叫裤子吗?

수미: 아니오, 그것은 바지가 아닙니다.
anio geugeoseun bajiga animnida
不是，那不叫裤子。

치마입니다.
chimaimnida
那叫裙子。

▪生 词▪

• 이것	这	• 운동화	运动鞋	• 가방	皮包
• 저것	那	• 그러면	那么	• 아니오	不是 / 不
• 무엇	什么	• 목걸이	项链	• 아닙니다	不是 / 不
• 이다/입니다	是~	• 한국어로	用韩语	• 치마	裙子
• 이에요?	(是)~吗?	• 한국어	韩语	• 바지	裤子
• 무엇입니까?	是什么?	• 예쁘다	漂亮		

关联词语

개인 소지품 (个人携带品)

시계 手表
sigye

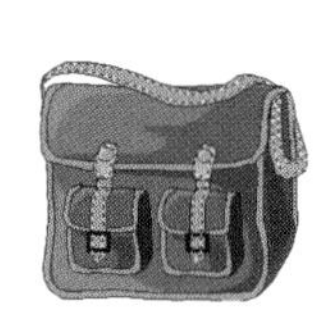

가방 皮包
gabang

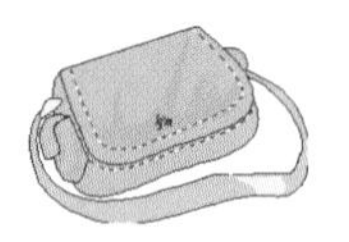

핸드백 手提包
haendeubaek

지갑 钱包
jigap

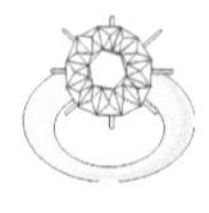

반지 戒指
banji

목걸이 项链
mokgeori

팔찌 手镯
paljji

신발의 종류 (鞋子的种类)

운동화 运动鞋
undonghwa

구두 皮鞋
gudu

부츠 靴子
bucheu

슬리퍼 拖鞋
seulripeo

샌들 凉鞋
sandeul

옷의 종류 (各种衣服)

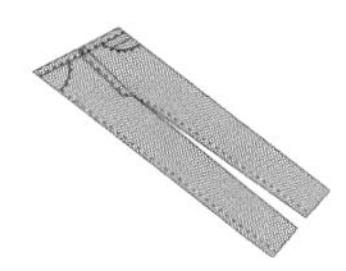

셔츠 衬衫 syeocheu　바지 裤子 baji　원피스 连衣裙 wonpis　투피스 两件套 tupis　양복 西服 yangbok　잠옷 睡衣 jamot

블라우스 女衬衫 beulraus　재킷 夹克 jaekit　치마 裙子 chima　코트 大衣 kot　운동복 运动衣 undongbok

한국의 전통 의복 (韩国传统服装)

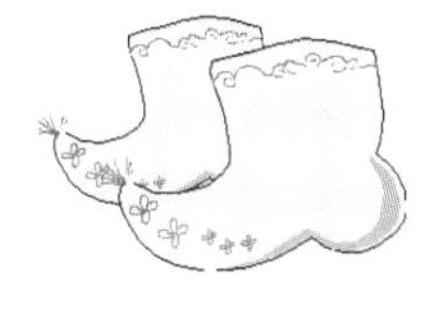
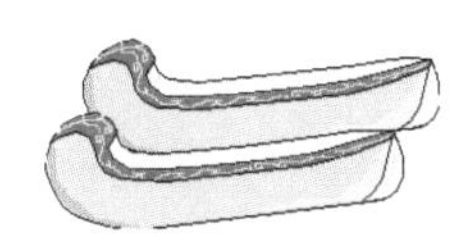
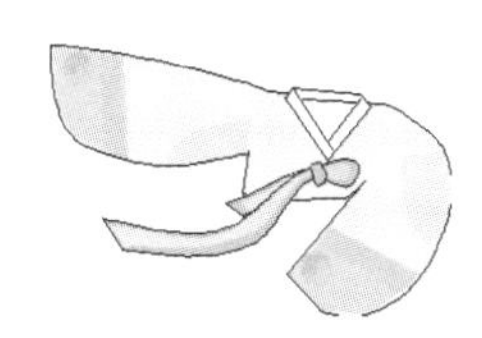

한복 韩国传统服装 hanbok　버선 布袜 beoseon　고무신 胶鞋 gomusin　고름 飘带 goreum

语法理解

① 韩语有三种指示代词：(1) '이것' 是接近说话人的，和汉语里 '这' 一样。(2) '그것' 是接近听话人的，和汉语里 '那' 一样。(3) '저것' 在意思上指说话人跟听话人之间，和汉语里 '那' 一样。

이것 : 这	**그것** : 那	**저것** : 那

이것은 무엇입니까?
igeoseun mueosimnikka
这是什么?

저것은 무엇입니까?
jeogeoseun mueosimnikka
那是什么?

그것은 무엇입니까?
geugeoseun mueosimnikka
那是什么?

② 이예요? 입니까? : 疑问助词。由 '~이다/입니다' 转换而成的。

무엇입니까? : ~是什么? **무엇이에요?** : ~是什么?

이것은 무엇입니까?
igeoseun mueosimnikka
这是什么?

이것은 무엇이에요?
igeoseun mueosieyo
这是什么?

③ '~요' : 有两种功能，位于句尾成为叙述句，后面加上问号成疑问句。

이것은 바지입니까? : 这是裤子吗? **이것은 바지예요?** : 这是裤子吗?

이것은 바지입니다. → 이것은 바지입니까?
igeoseun bajimnida igeoseun bajiimnikka
这是裤子。 这是裤子吗?

이것은 바지예요. → 이것은 바지예요?
igeoseun bajiiyeyo igeoseun bajiyeyo
这是裤子。 这是裤子吗?

④ '~군' : 用在句子的后边，说话人自己发现某种事实或者产生新的感觉的时候使用。'~군요' 是 '~군' 后边加上 '요'，是比较礼貌的说法。

예쁘군. → 예쁘군요. : 漂亮。 → 漂亮。

예쁘다. 예쁘군. → 예쁘군요. 漂亮。 漂亮。→ 漂亮。
yeppeuda yeppeugun yeppeugunyo

아름답다. 아름답군. → 아름답군요. 漂亮。 漂亮。→ 漂亮。
areumdapda areumdapgun areumdapgunyo

⑤ '아니오' : 表示否定。否定形式的回答是 '~이/~가 아닙니다'。

아니오, 이것은 바지가 아닙니다. : 不，这不是裤子。

아니오, 이것은 치마가 아닙니다. 不，这不是裙子。
anio igeoseun chimaga animnida

아니오, 이것은 목걸이가 아닙니다. 不，这不是项链。
anio igeoseun mokgeoriga animnida

练　习

1 回答下面的问题。

例子
Q 1 : 이것은 무엇입니까? 这是什么?
Q 2 : 저것은 무엇입니까? 那是什么?

(1) 그것은 ______________________ .(한복)
(2) 저것은 ______________________ .(색동저고리)
(3) 그것은 ______________________ .(치마)
(4) 저것은 ______________________ .(버선)

2 完成下面的句子。

例子
이것은 시계입니다. 这是手表。

(1) __________ 목걸이 __________ . (2) __________ 반지 __________ .
(3) __________ 바지 __________ . (4) __________ 치마 __________ .
(5) __________ 운동화 __________ . (6) __________ 가방 __________ .

3 模仿例句做练习。

例子
钢笔는 한국어로 무엇입니까? 钢笔用韩语叫什么?

(1) 裙子는 한국어로 ______________________ .
(2) 裤子는 한국어로 ______________________ .
(3) 项链은 한국어로 ______________________ .
(4) 皮包는 한국어로 ______________________ .

4 按照例子完成下面的句子。

例子
이것은 한국어로 운동화입니다. 这个用韩语叫运动鞋。
→ 이것은 한국어로 운동화입니까? 这个用韩语叫运动鞋吗?

(1) 이것은 한국어로 컴퓨터입니다. 这个用韩语叫电脑。

→ ________________________________?

(2) 이것은 한국어로 프린터입니다. 这个用韩语叫打印机。

→ ________________________________?

(3) 이것은 한국어로 모니터입니다. 这个用韩语叫屏幕。

→ ________________________________?

(4) 이것은 한국어로 키보드입니다. 这个用韩语叫键盘。

→ ________________________________?

5 请把下面的句子改成否定形式。

(1) 이것은 치마입니다. 这是裙子。

→ ________________________________.

(2) 이것은 바지입니다. 这是裤子。

→ ________________________________.

(3) 이것은 재킷입니다. 这是夹克。

→ ________________________________.

(4) 이것은 양복입니다. 这是西服。

→ ________________________________.

朗读练习

(1) 이것은 운동화입니다. 这是运动鞋。

(2) 저것은 컵이 아닙니다. 那不是杯子。

(3) 이것은 한국어로 무엇입니까? 这个用韩语叫什么?

(4) 저것은 접시, 포크, 나이프입니다. 那是碟子、叉子、小刀。

(5) 이 접시는 참 예쁘군요. 这碟子真漂亮。

제 5 과

第5课

어느 계절을 좋아해요? 你喜欢哪个季节?

句型

1. 어느 계절을 좋아해요? 你喜欢哪个季节?
   eoneu gyejeoreul joahaeyo
2. 오늘은 날씨가 흐리군요. 今天天气很阴。
   oneureun nalssiga heurigunyo

会 话

会 话 1

수미: 헨리 씨는 어느 계절을 좋아해요?
henri ssineun eoneu gyejeoreul joahaeyo
henry先生, 你喜欢哪个季节?

헨리: 가을을 좋아해요.
gaeureul joahaeyo
我喜欢秋天。

가을은 시원해요.
gaeureun siwonhaeyo
秋天很凉快。

수미: 어느 계절을 싫어해요?
eoneu gyejeoreul sireohaeyo
那, 你不喜欢哪个季节?

헨리: 겨울을 싫어해요.
gyeoureul sireohaeyo
我讨厌冬天。

겨울은 추워요.
gyeoureun chuwoyo
冬天很冷。

会 话 2

수미: 오늘은 날씨가 흐리군요.
oneureun nalssiga heurigeunyo
今天天气很阴。

헨리: 비가 올 것 같아요. 好像要下雨。
biga ol geot gatayo

수미: 우산 가져왔어요? 你带雨伞了吗?
usan gajyeowasseoyo

헨리: 네, 가져왔어요. 是, 带来了。
ne gajyeowasseoyo

일기 예보를 보았어요.
ilgi yeboreul boasseoyo
我看天气预报了。

▪生 词▪

- 어느 哪/什么
- 좋아해요 喜欢
- 춥다 冷
- 오늘 今天
- 비 雨
- ~인 것 같아요 好像
- 가져오다 / 가져왔어요 带来 / 带来了
- 가을 秋天
- 시원하다 凉快
- 흐리다 阴
- 일기 예보 天气预报
- 계절 季节
- 보다 / 보았어요 看 / 看了
- 덥다 热
- 날씨 天气
- 겨울 冬天
- 우산 雨伞
- 싫어해요 讨厌 / 不喜欢

关联词语

계절 (四季)

봄 春天
bom

여름 夏天
yeoreum

가을 秋天
gaeul

겨울 冬天
gyeoul

날씨 (天气)

해 太阳
hae

맑음 晴
malgeum

구름 云
gureum

흐림 阴
heurim

비 雨
bi

눈 雪
nun

语法理解

1 '어느'：是疑问代词，是"哪(一个，儿)"的意思。

어느：哪，什么

어느 계절을 좋아해요?
eoneu gyejeoreul joahaeyo
你喜欢哪个季节?

어느 모자를 좋아해요?
eoneu mojareul joahaeyo
你喜欢哪个帽子?

2 ～았/었/였：在一般用动词+～았/었/였的形态表示过去的时态。

～았 / 었 / 였

보았어요. 看了。
boasseoyo

알았어요. 知道了。
arasseoyo

먹었어요. 吃了。
meogeosseoyo

배웠어요. 学了。
baewosseoyo

하였어요. 做了。
hayeosseoyo

3 '～같다'：'好像～'的意思。

～것 같다 / ～것 같아요

비가 올 것 같아요.
biga ol geot gatayo
好像要下雨了。

눈이 올 것 같아요.
nuni ol geot gatayo
好像要下雪了。

존이 한 것 같아요.
joni han geot gatayo
好像是john干的。

4 '～ㄹ/～ㄴ'：用在动词词干后面，'～ㄹ'是表示未来，'～ㄴ'表示过去。

올 것 같아요.：好像～
온 것 같아요.：好像～

비가 올 것 같아요.
biga ol geot gatayo
好像要下雨了。

비가 온 것 같아요.
biga on geot gatayo
好像下雨了。

5 四个季节的特征。

봄은 따뜻합니다.
bomeun ttatteuthamnida
春天暖和。

여름은 덥습니다.
yeoreumeun deopseumnida
夏天热。

가을은 시원합니다.
gaeureun siwonhamnida
秋天凉快。

겨울은 춥습니다.
gyeoureun cheupsseumnida
冬天冷。

6 关于天气。

비가 옵니다.
biga omnida
下雨。

눈이 옵니다.
nuni omnida
下雪。

바람이 붑니다.
barami bumnida
刮风。

천둥이 칩니다.
cheondung-i chimnida
打雷。

7 ‘～씨’：～先生(～小姐)的意思。

수미 씨
sumi ssi
수미小姐

헨리 씨
henri ssi
Henry 先生

1 按照例子回答问题。

例子

Q 1 : 당신은 어느 계절을 좋아해요?　你喜欢哪个季节?

Q 2 : 당신은 어느 계절을 싫어해요?　你不喜欢哪个季节?

저는 [봄 / 여름 / 가을 / 겨울]

을 좋아해요.
我喜欢（　　）。

을 싫어해요.
我不喜欢（　　）。

2 按照例子回答问题。

例子

Q : 오늘 날씨가 어때요?(춥다)　今天的天气怎么样?

A : 오늘 날씨는 추워요.　今天天气很冷。

(1) 흐리다. 阴。　(2) 덥다. 热。

(3) 비가 오다. 下雨。　(4) 맑다. 晴。

(5) 눈이 오다. 下雪。

3 按照例子回答问题。

例子

Q : 우산을 가져왔어요? (우산)　你带雨伞了吗?

(1) 책　书　(2) 가방　皮包

(3) 펜　钢笔　(4) 시계　表

(5) 휴지　卫生纸

4 请把下面的句子改成过去式。

(1) 일기 예보를 보다.　看天气预报。

(2) 밥을 먹다.　吃饭。

(3) 학교에 가다.　去学校。

(4) 가을을 좋아하다.　喜欢秋天。

(5) 친구를 만나다.　见朋友。

朗读练习

(1) 어느 계절을 좋아해요?

你喜欢哪个季节?

(2) 오늘은 날씨가 흐리군요.

今天天气很阴。

(3) 여름은 너무 더워요.

夏天太热。

(4) 우산을 가져왔어요.

我带雨伞了。

(5) 저는 겨울을 싫어해요.

我不喜欢冬天。

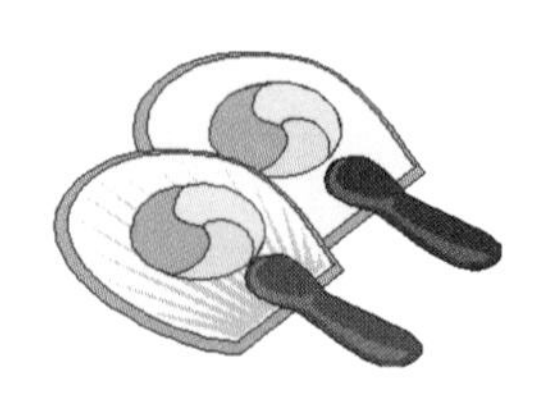

제 6 과

第6课

생일이 언제예요? 你的生日是哪一天?

句型

1. 오늘은 금요일이에요. 今天星期五。
   oneureun geumyoirieyo
2. 제 생일은 5월 23일이에요. 我的生日是五月二十三号。
   je saeng-ireun owol isipsamirieyo

▪会 话▪

会 话 1

헨리: 어제는 무엇을 했어요?
eojeneun mueoseul haesseoyo
昨天你干了什么?

수미: 어제는 도서관에서 공부를 했어요.
eojeneun doseogwaneseo gongbureul haesseoyo
昨天我在图书馆学习了。

헨리: 오늘은 무슨 요일이에요?
oneureun museun yoirieyo
今天星期几?

수미: 오늘은 금요일이에요.
oneureun geumyoirieyo
今天星期五。

헨리: 내일은 학교에 갈 거예요?
naeireun hakgyoe gal geoyeyo
明天要去学校吗?

수미: 아니오, 내일은 집에 있을 거예요.
anio naeireun jibe isseul geoyeyo
不去，明天我打算在家。

5월

일 (SUN)	월 (MON)	화 (TUE)	수 (WED)	목 (THU)	금 (FRI)	토 (SAT)
	1	2	3	4	5	6
7	8	9	10	11	12	13
14	15	16	17	18	19	20
21	22	23	24	25	26	27
28	29	30	31			

会 话 2

헨리: 수미 씨, 생일이 언제예요?
sumi ssi saeng-iri eonjeyeyo
수미，你的生日是哪一天?

수미: 제 생일은 5월 23일이에요.
je saeng-ireun owol isipsamirieyo
我的生日是五月二十三号。

헨리: 모레군요. 우리 생일 파티해요.
moregunyo uri saeng-il patihaeyo
那就是后天啊。我们开生日晚会吧。

수미: 모레 저녁 7시에 우리 집에 오세요.
more jeonyeok ilgopsie uri jibe oseyo
后天晚上七点钟来我家吧。

■生 词■

• 어제	昨天	• 우리~해요	我们~吧	• 아니오	不
• 무슨, 무엇	什么/几	• 생일 파티	生日晚会	• (시간)~에	到~(时间)
• 언제	哪一天	• 생일	生日	• 23일	二十三号
• 일, 요일	星期	• 7시	七点	• 저녁	晚上
• 내일	明天	• 도서관	图书馆	• 우리	我们
• 갈 거예요?	要去吗?	• ~에서	在~	• 학교	学校
• 집	家	• 오늘	今天	• 공부	学习
• 오다/오세요	来/来吧	• 금요일	星期五	• 5월	五月
• 모레	后天				

关联词语

요일 및 날의 이름 (星期)

일요일 iryoil	월요일 woryoil	화요일 hwayoil	수요일 suyoil	목요일 mogyoil	금요일 geumyoil	토요일 toyoil
星期天	星期一	星期二	星期三	星期四	星期五	星期六

그저께 (geujeokke)	前天
어제 (eoje)	昨天
오늘 (oneul)	今天
내일 (naeil)	明天
모레 (more)	后天

달의 이름 (月)

1월 1月	일월(ilwol)	7월 7月	칠월(chilwol)
2월 2月	이월(iwol)	8월 8月	팔월(palwol)
3월 3月	삼월(samwol)	9월 9月	구월(guwol)
4월 4月	사월(sawol)	10월 10月	시월(siwol)
5월 5月	오월(owol)	11월 11月	십일월(sibilwol)
6월 6月	유월(yuwol)	12월 12月	십이월(sibiwol)

语法理解

1 '무슨', '무엇' : 疑问代词。是'什么, 几'的意思。

무슨 요일이에요? : (今天)星期几?

이것은 무엇입니까?
igeoseun mueosimnikka
这是什么?

오늘은 무슨 요일이에요?
oneureun museun yoirieyo
今天星期几?

2 '~예요', '~이에요' : 有两种功能, 位于句尾为叙述句, 在句尾加上问号成疑问句。

언제예요? : 哪一天?　　**23일이에요.** : 二十三号。

생일이 언제예요?
saeng-iri eonjeyeyo
你的生日是哪一天?

제 생일은 5월 23일이에요.
je saeng-ireun owol isipsamirieyo
我的生日是五月二十三号。

3 '~거/것', (예요, 이에요)' : 位于句子末表示未来式。

학교에 갈 거예요. : 我打算去学校。

집에 갈 거예요. (갈 것입니다.)
jibe gal geoyeyo
我打算回家。

집에 있을 거예요. (있을 것입니다.)
jibe isseul geoyeyo
我打算在家。

공부를 할 거예요. (할 것입니다.)
gongbureul hal geoyeyo
我打算读书。

저녁을 먹을 거예요. (먹을 것입니다.)
jeonyeogeul meogeul geoyeyo
我打算吃晚饭。

④ '언제' : 疑问代词，是 '什么时候'，'哪一天'，'几月几号' 的意思。

생일은 언제예요? : 你的生日是哪一天?

파티는 언제예요?
patineun eonjeyeyo
什么时候开晚会?

방학은 언제예요?
banghageun eonjeyeyo
什么时候开始放假?

⑤ '~에' : '到~' 的意思。'~에서' : '在~' 的意思。

도서관에서 在图书馆
doseogwaneseo

학교에 (到)学校
hakgyoe

집에 (到)家
jibe

7시에 七点
ilgopsie

⑥ '우리 ~+요' : 表示建议，'我们~吧' 的意思。

우리 ~ 动词词干 **+ 요.** : 我们~吧!

우리 생일 파티해요.
uri saeng-il patihaeyo
我们开生日晚会吧!

우리 학교에 가요.
uri hakgyoe gayo
我们去学校吧!

우리 집에 가요.
uri jibe gayo
我们回家吧!

우리 텔레비전 봐요.
uri tellebijyeon bwayo
我们看电视吧!

练 习

1 按照例子回答下面的问题。

(1)

例子

Q : 오늘은 무슨 요일입니까? (화요일)　　今天星期几?
A : 오늘은 화요일입니다.　　今天星期二。

① 월요일　星期一　　② 수요일　星期三
③ 일요일　星期天　　④ 토요일　星期六
⑤ 금요일　星期五

(2)

例子

Q : 내일은 어디에 갈 거예요? (학교)　　你明天打算去哪儿?
A : 학교에 갈 거예요.　　明天我打算去学校。

① 친구 집　朋友家　　② 도서관　图书馆
③ 회사　公司　　④ 교회　教堂
⑤ 시장　市场

2 按照例子回答下面的问题。

例子

Q : 생일은 언제예요?　　你的生日是哪一天?
A : 제 생일은 (　　　　)이에요.　　我的生日是(　　　　)。

(1) 5월 23일　(2) 1월 12일　(3) 2월 5일　(4) 12월 31일
(5) 3월 7일　(6) 10월 17일　(7) 8월 28일

3 请把下面的句子改成否定形式。

(1) 학교에 가다.　去学校。
(2) 친구를 만나다.　见朋友。
(3) 주스를 마시다.　喝果汁。
(4) 한국어를 배우다.　学韩国语。

4 请把下面的句子改成‘我们～吧’的形式。

子

우리 ～ 动词词干 ＋요.

(1) 생일 파티하다. 开生日晚会。

(2) 공부하다. 学习。

(3) 학교에 가다. 到学校去。

(4) 도서관에 가다. 到图书馆去。

(5) 집에 있다. 在家。

朗读练习

(1) 어제는 집에서 공부를 했어요.
昨天我在家学习了。

(2) 오늘은 수요일입니다.
今天星期三。

(3) 주말에는 무엇을 합니까?
你周末干什么?

(4) 생일이 내일이에요.
明天是我的生日。

(5) 모레 아침 10시에 우리 집에 오세요.
后天上午10点钟来我家吧!

제 7 과
第7课

몇 개 있어요? 有几个?

句型

1. 펜이 몇 개 있어요? 有几支笔?
   peni myeot gae isseoyo
2. 친구가 몇 명 있어요? 有几个朋友?
   chin-guga myeot myeong isseoyo

■ 会 话 ■

会 话 1

인 수: 펜을 안 가져왔어요.
peneul an gajyeowasseoyo
我没带来笔。

펜이 몇 개 있어요?
peni myeot gae isseoyo
你有几支笔?

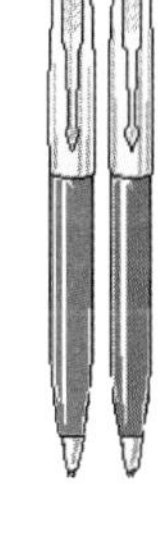

요시코: 두 자루 있어요. 빌려 드릴까요?
du jaru isseoyo billyeo deurilkkayo
我有两支笔。要借给你吗?

인 수: 한 개 빌려 주세요.
han gae billyeo juseyo
请借给我一支。

요시코: 여기 있어요. 파란색이에요. 给你，是蓝色的。
yeogi isseoyo parangsaegieyo

인 수: 고마워요. 谢谢你。
gomawoyo

会 话 2

수 미: 요시코 씨, 한국인 친구가 몇 명 있어요?
yosiko ssi han-gugin chin-guga myeot myeong isseoyo
淑子，你有几个韩国朋友?

요시코: 다섯 명 있어요.
daseot myeong isseoyo
我有五个(韩国朋友)。

수 미: 남자 친구도 있어요?
namja chin-gudo isseoyo
也有男的吗?

요시코: 네, 남자 친구도 두 명 있어요.
ne namja chin-gudo du myeong isseoyo
有, 两个是男的。

여자 친구는 세 명이에요.
yeoja chin-guneun se myeong-ieyo
女的有三个。

수 미: 친구가 많아서 좋겠어요.
chin-guga manaseo jokesseoyo
有这么多朋友多好啊!

■生 词■

- 몇 개 几个/几支
- 안 不/没
- 좋겠어요 好
- 여기 给你
- 파란색 蓝色
- 한국인 韩国人
- 친구 朋友
- 여자 친구 女朋友/女的朋友
- 다섯 명 五个(人)
- 빌려 주다/빌려 드리다 借给~
- 펜 笔
- 가져오다 带来
- 빌려 주세요 请借给我
- 여기 있어요 这儿有/给你
- 고마워요 谢谢
- 몇 명 几个(人)
- 남자 친구 男朋友/男的朋友
- 많다 多
- 두 명 两个(人)

关联词语

1	일 il 一	하나(한) hana(han)	8	팔 pal 八	여덟 yeodeol
2	이 i 二	둘 (두) dul(du)	9	구 gu 九	아홉 ahop
3	삼 sam 三	셋 (세) set(se)	10	십 sip 十	열 yeol
4	사 sa 四	넷 (네) net(ne)	100	백 baek 百	백 baek
5	오 o 五	다섯 daseot	1000	천 cheon 千	천 cheon
6	육 yuk 六	여섯 yeoseot	10000	만 man 万	만 man
7	칠 chil 七	일곱 ilgop			

语法理解

① 表示数量 '몇' : 放在量词 '~개' 前边, 相当于几(个)。

몇 개 있어요? : 有几个?

펜이 몇 개 있어요?
peni myeot gae isseoyo
有几支笔?

연필이 몇 개 있어요?
yeonpiri myeot gae isseoyo
有几支铅笔?

② '~ㄹ까요?' / 을까요? : 表示问对方的意见。

~ㄹ까요? : ~怎么样?, 要~吗?

펜을 빌려 드릴까요?
peneul billyeo deurilkkayo
你要借笔吗?

학교에 갈까요?
hakgyoe galkkayo
我们去学校怎么样?

③ 在数人数的时候 '몇' 放在 '~명' 前边。

몇 명 있어요? : 有几个(人)?

친구가 몇 명 있어요?
chin-guga myeot myeong isseoyo
有几个朋友?

학생이 몇 명 있어요?
haksaeng-i myeot myeong isseoyo
有几个学生?

④ '빌려 주세요' : 向别人借东西时用。是 '请借给我~' 的意思。

빌려 주세요. : 请借给我

펜 빌려 주세요.
pen billyeo juseyo
请借给我笔。

연필 빌려 주세요.
yeonpil billyeo juseyo
请借给我铅笔。

돈 빌려 주세요.
don billyeo juseyo
请借给我钱。

책 빌려 주세요.
chaek billyeo juseyo
请借给我书。

5 '안' : 表示否定, '안+动词, 形容词' 的形态。

안 + 动词 : 不, 没 + 动词
안 + 形容词 : 不, 没 + 形容词

안 가져왔어요.
an gajyeowasseoyo
没带来。

안 먹었어요.
an meogeosseoyo
没吃。

안 예뻐요.
an yeppeoyo
不好看。

6 '~아서/~어서' : 表示原因, 相当于 '因为~'。

많 + **아(서)** : 因为~

친구가 많아(서) 좋겠어요.
chin-guga mana(seo) jokesseoyo
(因为)你有很多朋友, 多好啊!

펜을 빌려서 좋겠어요.
peneul billyeoseo jokesseoyo
(因为)你借到笔, 多好啊!

7 '~겠' : 表示未来, 一般用 '形容词 +겠' 的形态。

좋겠어요. : 多好啊, 要~了

좋겠어요.
jokesseoyo
多好啊!

가겠어요.
gagesseoyo
要走了。

공부하겠어요.
gongbuhagesseoyo
要学习了。

1 用下面的词语完成对话

(1) 问题 : 펜이 몇 개 있어요?
有几支笔?

回答 : 펜이 한 개 있어요.

例子
두 개　세 개　열 개　다섯 개　여덟 개

(2) 问题 : 친구가 몇 명 있어요?
有几个朋友?

回答 : 저는 친구가 네 명 있어요.

例子
다섯 명　여섯 명　일곱 명　여덟 명　한 명

(3) 저에게 책을(를) 빌려 주세요.
请借给我书。

例子
펜　시계　우산　지우개

2 把下面的句子改成疑问句。

(1) 친구가 있다. 我有朋友。
→ ______________________.

(2) 봄을 좋아하다. 我喜欢春天。
→ ______________________.

(3) 비가 오다. 下雨。
→ ______________________.

(4) 날씨가 흐리다. 天气阴。
→ ______________________.

(5) 우산을 가져오다. 我带来雨伞了。
→ ______________________.

3 用 '안' 把下面的句子改成否定句。

(1) 가져왔어요? 带来了吗?

(2) 점심을 먹었어요. 我吃过午饭了。

(3) 책을 샀어요. 我买了书。

(4) 갈 거예요? 你要去吗?

(5) 시원해요. 很凉快。

朗读练习

(1) 펜 한 개 빌려 주세요.
请借给我一支笔。

(2) 파란색 펜이 몇 개 있어요?
有几支蓝色的笔?

(3) 한국인 친구가 몇 명 있어요?
有几个韩国朋友?

(4) 남자 친구가 다섯 명 있어요.
有五个男朋友。

(5) 공책을 안 가져왔어요.
没带来笔记本。

제 8 과

第8课

얼마입니까? 多少钱?

句型

1. 이것은 얼마입니까? 这个多少钱?
   igeoseun eolmaimnikka
2. 모두 이천팔백 원입니다. 一共二千八百块。
   modu icheonpalbaek wonimnida

■ 会 话 ■

会 话 1

주 인: 어서 오세요. 欢迎光临!
eoseo oseyo

요시코: 바나나는 백 그램에 얼마입니까?
banananeun baek graeme eolmaimnikka
香蕉 一百克要多少钱?

주 인: 이백이십 원입니다. 两百二十块钱。
ibaek-isip wonimnida

요시코: 2킬로그램 주세요.
ikillograem juseyo.
给我两公斤。

주 인: 여기 있습니다. 在这里，给你。
yeogi itseumnida

모두 사천사백 원입니다.
modu sacheonsabaek wonimnida
一共四千四百块钱。

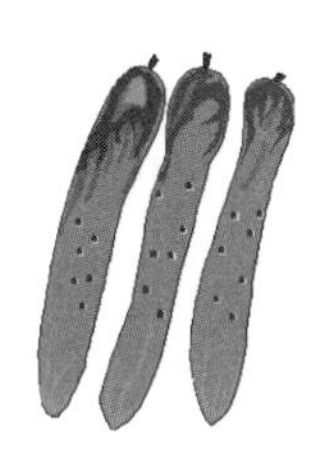

会 话 2

요시코: 오이는 얼마입니까?
oineun eolmaimnikka
黄瓜多少钱?

주 인: 세 개에 천백 원입니다.
se gae-e cheonbaek wonimnida
三个一千一百块钱。

요시코: 토마토는 얼마입니까? 西红柿多少钱?
tomatoneun eolmaimnikka

주　인: 백 그램에 이백육십 원입니다.
baek graeme ibaek-yuksip wonimnida
一百克两百六十块钱。

요시코: 오이 세 개와 토마토 1킬로그램(1kg) 주세요.
oi se gaewa tomato ilkillograem juseyo
请给我三根黄瓜和一公斤西红柿。

주　인: 모두 삼천칠백 원입니다.
modu samcheonchilbaek wonimnida
一共三千七百块钱。

▪生 词▪

• 어서 오세요	欢迎光临	• 바나나	香蕉
• 얼마입니까?	多少钱?	• 백 그램에	一百克
• 이백이십 원	两百二十块	• 2킬로그램	两公斤
• 여기 있습니다	在这里	• 모두	一共
• 사천사백 원	四千四百块	• 오이	黄瓜
• 세 개에	三个	• 천백 원	一千一百块
• 토마토	西红柿	• 이백육십 원	两百六十块
• ~와/과	和	• 삼천칠백 원	三千七百块

关联词语

과일 (水果)

사과 苹果
sagwa

바나나 香蕉
banana

파인애플 菠萝
painaepeul

배 梨
bae

포도 葡萄
podo

수박 西瓜
subak

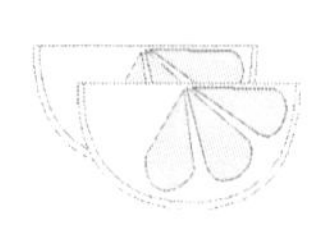
오렌지 橙子
orenji

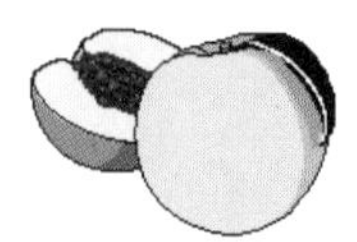
복숭아 桃
boksunga

감 柿子
gam

레몬 柠檬
remon

야채 (蔬菜)

오이 黄瓜
oi

호박 南瓜
hobak

무 萝卜
mu

시금치 菠菜
sigeumchi

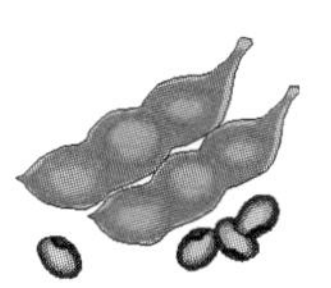

콩 豆
kong

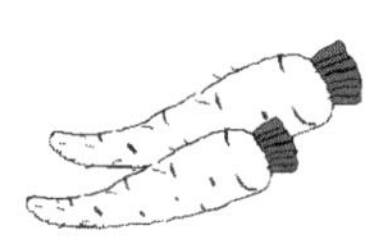

당근 胡萝卜
danggeun

배추 白菜
baechu

양배추 卷心菜 / 洋白菜
yangbaechu

고추 辣椒
gochu

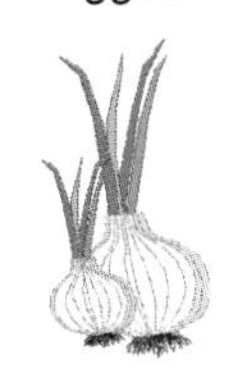

양파 洋葱
yangpa

파 葱
pa

마늘 蒜
maneul

화폐 단위 (货币单位)

십 원	十块 〔sip won〕	천 원	一千块 〔cheon won〕
오십 원	五十块 〔osip won〕	오천 원	五千块 〔ocheon won〕
백 원	一百块 〔baek won〕	만 원	一万块 〔man won〕
오백 원	五百块 〔obaek won〕		

语法理解

1 '얼마입니까?' : 是问价钱时用。

얼마입니까? : 多少钱?

바나나 100g에 얼마입니까?
banana baekgeuraeme eolmaimnikka
香蕉一百克多少钱?

토마토 100g에 얼마입니까?
tomato baekgeuraeme eolmaimnikka
西红柿一百克多少钱?

② '~을/를 주세요' : 是买东西时候用, 是 '请给我~(我要买~)' 的意思。

~(을/를) 주세요. : 请给我~, 我要买

사과 세 개 주세요.
sagwa se gae juseyo
请给我三个苹果。

바나나 주세요.
banana juseyo
我要买香蕉。

③ '모두' : '一共' 的意思。

모두 삼천칠백 원입니다. : 一共三千七百块钱。

모두 사천사백 원입니다.
modu sacheonsabaek wonimnida
一共四千四百块钱。

모두 천오십 원입니다.
modu cheon-osip wonimnida
一共一千零五十块钱。

④ '~에' : 买东西算钱用 '~에' 来表示单位或某种范围。

100g에 220원 입니다. : 一百克两百二十块钱。
1kg에 2,600원 입니다. : 一公斤两千六百块钱。

100g에 150원입니다.
baekgeuraeme baek-osip wonimnida
一百克一百五十块钱。

1kg에 1,500원입니다.
ilkillograeme cheon-obaek wonimnida
一公斤一千五百块钱。

⑤ '~와/과' : '和, 跟, 与' 的意思。

오이 세 개와 토마토 두 개 : 三根黄瓜和两个西红柿

바나나와 사과
bananawa sagwa
香蕉和苹果

감자 1kg과 당근 600g
gamja ilkillograemgwa danggeun yukbaekgraem
一公斤土豆和六百克胡萝卜

练 习

1 用下面的例子完成对话

(1) (   )은(는) 100g에 얼마입니까?
~100克多少钱?

例子
바나나 香蕉 오렌지 橙子 딸기 草莓 자두 李子 앵두 樱桃 사과 苹果

(2) (   )은(는) 얼마입니까?
~多少钱?

例子
토마토 西红柿 당근 胡萝卜 오이 黄瓜 고추 辣椒 마늘 蒜

2 替换练习下面的句子。

100g 두 개 세 개 1kg 한 근	에	이천 원 이천오백 원 천 원 오천 원 삼천오백 원	입니다.

3 用韩语念下面的价格。

(1) 230원 (2) 12,300원 (3) 7,560원
(4) 354,000원 (5) 90원

4 请把下面的句子改成‘一共~钱’的形态。

(1) (   ) 5,600원입니다.
(2) (   ) 7,200원입니다.
(3) (   ) 1,800원입니다.

朗读练习

(1) 사과는 얼마예요?
苹果多少钱?

(2) 감은 얼마예요?
柿子多少钱?

(3) 사과 한 봉지에 삼천육백 원입니다.
苹果一纸袋3,600百块钱。

(4) 오렌지 한 개에 오백 원이에요.
一只橙子500块钱。

(5) 토마토 2kg 주세요.
请给我两公斤西红柿。

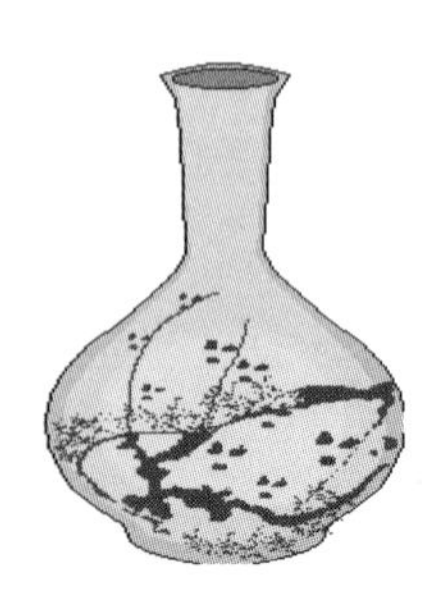

제 9 과

第9课

비빔밥 한 그릇 주세요. 请给我一碗拌饭。

句型

1. 무엇을 드시겠습니까? 你吃点儿什么?
   mueoseul deusigesseumnikka
2. 비빔밥 한 그릇 주세요. 请给我一碗拌饭。
   bibimbap han geureut juseyo

■会 话■

会 话 1

종업원: 무엇을 드시겠습니까?
mueoseul deusigetseumnikka
你吃点儿什么?

메뉴에 불고기, 비빔밥, 설렁탕이 있어요.
menyue bulgogi bibimbap seolleongtang-i isseoyo
菜单里有烤肉、拌饭、牛骨汤。

인 수: 저는 비빔밥 한 그릇 주세요.
jeoneun bibimbap han geureut juseyo
请给我一碗拌饭。

요시코: 저는 설렁탕을 먹을래요. 我要吃牛骨汤。
jeoneun seolleongtang-eul meogeullaeyo

종업원: 잠시만 기다리세요. 请稍等一下。
jamsiman gidariseyo

여기 설렁탕 한 그릇, 비빔밥 한 그릇입니다.
yeogi seolleongtang han geureut bibimbap han geureut-imnida
这儿有一碗牛骨汤和一碗拌饭。

요시코: (다 먹고 난 후)설렁탕이 맛있어요. 牛骨汤很好吃。
seolleongtang-i masisseoyo

会 话 2

요시코: 이 자동판매기는 어떻게 사용해요?
i jadongpanmaegineun eotteoke sayonghaeyo
这自动贩卖机怎么使用?

인　수: 100원 짜리 동전을 세 개 넣으세요.
baekwonjjari dongjeoneul se gae neoeuseyo
你把三个一百块的硬币放进去。

그리고, 버튼을 누르세요. 然后，按一下按钮。
geurigo beoteuneul nureuseyo

요시코: 어느 것을 누를까요? 按哪一个好呢?
eoneu geoseul nureulkkayo

밀크 커피, 설탕 커피, 블랙 커피가 있어요.
milk keopi seoltang keopi beullaek keopiga isseoyo
有牛奶咖啡，加糖咖啡和清咖啡。

인　수: 저는 밀크 커피 마실게요.
jeoneun milk keopi masilgeyo
我要喝牛奶咖啡。

生　词

• ~드시겠습니까?	吃~吗?	• 동전	硬币
• 비빔밥	拌饭	• 넣다	放进去
• 불고기	烤肉	• 그리고	然后
• 설렁탕	牛骨汤	• 버튼	按钮
• 메뉴	菜单	• 누르다	按
• 잠시 기다려요	请稍等一下	• 어느 것	哪一个
• 맛있다	好吃	• 밀크 커피	牛奶咖啡
• 이	这	• 설탕 커피	加糖咖啡
• 자동판매기	自动贩卖机	• 블랙 커피	清咖啡
• 어떻게	怎么	• 마시다	喝
• 사용하다	使用	• 마실게요	要喝
• 100원짜리	一百块的		

关联词语

한국의 음식 (韩国菜)

김치 (泡菜)

포기김치, 물김치, 깍두기, 보쌈김치, 총각김치, 오이소박이, 파김치, 부추김치, 깻잎김치

밥 (饭)

쌀밥, 보리밥, 잡곡밥, 팥밥, 차조밥

나물 (野菜)
시금치, 콩나물, 고사리, 숙주나물, 파래무침, 도라지무침, 오이무침, 호박볶음, 무채나물

생선 (鱼)
조기, 옥돔, 참치, 꽁치, 갈치, 고등어, 가자미, 대구, 명태

전 (煎饼)
고기산적, 녹두지짐, 파전, 깻잎전, 호박전, 감자전

찌개 (煨汤)
된장찌개, 김치찌개, 참치찌개, 두부찌개, 비지찌개, 동태찌개, 버섯전골, 오징어전골

국 (汤)
미역국, 북어국, 소고기국, 감자국, 무국, 시금치된장국, 배추된장국, 콩나물국, 육개장, 떡국, 만두국, 삼계탕

语法理解

1 '인분' : 在韩国餐厅点菜的时候, 请给我 '～인분' 意思是请给我 '～份'。这 '～인분' 是指～个人能吃的份量。'그릇' 是量词 '碗'。

(1) 비빔밥 ______ 그릇 : ～碗拌饭
bibimbap geureut

한	세	다섯	일곱	열

(2) 불고기 ______ 인분 : ～份烤肉
bulgogi inbun

일	이	육	구	십

2 '드시겠습니까?' 드시+겠+습니까?' : '要吃～吗' 较有礼貌的用语。

______ 을(를) 드시겠습니까?

비빔밥 bibimbap	불고기 bulgogi	우동 udong	국수 guksu	수제비 sujebi	떡국 tteokguk

③ '먹을래요?, 먹+으+ㄹ래요?' : 问对方的意向。'먹을래요?' 是用在吃的, '마실래요?' 是用在喝的。

__________ **을(를) 먹을래요?** : 要吃～吗?
__________ **을(를) 마실래요?** : 要喝～吗?

라면 ramyeon	피자 pija	김밥 gimbap	햄버거 haembeogeo	국수 guksu
커피 keopi	콜라 kolla	사이다 saida	주스 juseu	

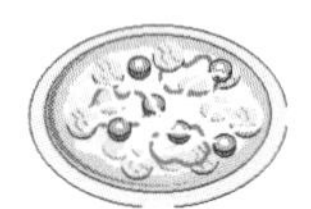

④ '주세요' : 是"请给我～"的意思。

__________ **주세요.** : 请给我～

삼계탕 일인분
samgyetang ilinbun

한정식 이인분
hanjeongsik i-inbun

불고기 육인분
bulgogi yuk-inbun

설렁탕 한 그릇
seolleongtang han geureut

자장면 세 그릇
jajangmyeon se geureut

⑤ '어떻게' : 疑问代词, '怎样, 怎么' 的意思。

어떻게

어떻게 사용해요?
eotteoke sayonghaeyo
怎样使用?

어떻게 가요?
eotteoke gayo
怎么走?

⑥ '마실게요' : 是 '要' 的意思, 一般是 '动词+(으)ㄹ래요' 的形式。

～(으)ㄹ게요 : 要～

밀크 커피 마실게요.
milk keopi masilgeyo
我要喝牛奶咖啡。

공부할게요.
gongbuhalgeyo
我要学习。

불고기 먹을게요.
bulgogi meogeulgeyo
我要吃烤肉。

1 回答问题。

例子
Q : 무엇을 드시겠습니까? 你要吃什么?/你点什么菜?

(1) ____________ 먹을래요. (불고기)　(2) ____________ 먹을래요. (설렁탕)
(3) ____________ 먹을래요. (자장면)　(4) ____________ 먹을래요. (우동)

2 完成问味道的语句。

(1) 비빔밥이 ________________?　(2) 불고기가 ________________?
(3) 설렁탕이 ________________?　(4) 자장면이 ________________?
(5) 물냉면이 ________________?　(6) 된장찌개가 ________________?

3 用下列单词造句 (点菜)。

김밥	생선초밥	짬뽕	갈비	비빔냉면
만두국	떡만두국	칼국수	버섯전골	오징어전골

(1) 用 '그릇' 来练习点菜。

例子
칼국수 한 그릇 주세요. 请给我一碗刀切面。

① __________ __________ 주세요.　② __________ __________ 주세요.
③ __________ __________ 주세요.　④ __________ __________ 주세요.
⑤ __________ __________ 주세요.

(2) 用 '인분' 来练习点菜。

例子
만두 이인분 주세요. 请给我两份包子。

① __________ __________ 주세요.　② __________ __________ 주세요.

③ __________ __________ 주세요.

④ __________ __________ 주세요.

⑤ __________ __________ 주세요.

4 使用 **3** 的例子来完成下面的句子。

(1) __________이(가) 맛있어요.

(2) __________이(가) 맛없어요.

(3) __________이(가) 맛있어요.

(4) __________이(가) 맛없어요.

(5) __________이(가) 맛있어요.

(6) __________이(가) 맛없어요.

(7) __________이(가) 맛있어요.

(8) __________이(가) 맛없어요.

5 使用下列词语来完成下面的句子。

例子

밀크 커피　설탕 커피　블랙 커피　율무차　코코아　유자차

▸ 你要喝(　　　　　)吗?

(1) __________ 마실래요?

(2) __________ 마실래요?

(3) __________ 마실래요?

(4) __________ 마실래요?

(5) __________ 마실래요?

(6) __________ 마실래요?

朗读练习

(1) 무엇을 드시겠습니까? 你要吃什么?

(2) 자장면 한 그릇 주세요. 给我一碗炸酱面。

(3) 100원짜리 동전을 다섯 개 넣으세요. 请把五个一百块的硬币放进去。

(4) 저는 블랙 커피 마실게요. 我要喝清咖啡。

(5) 우동 두 그릇 주세요. 给我两碗日式汤面。

제 10 과

第10课

여보세요? 喂?

句型

1. 여보세요? 喂?
   yeoboseyo
2. 수미 씨 있어요? 수미在吗?
   sumi ssi isseoyo

会 话

会 话 1

요시코: 여보세요? 인수 씨 있어요?
yeoboseyo insu ssi isseoyo
喂? 인수先生在吗?

인 수: 저예요. 요시코 씨. 是我，淑子。
jeoyeyo yosiko ssi

요시코: 몇 시에 만날까요?
myeot sie mannalkkayo
我们几点见面?

인 수: 2시에 만나요. 两点见吧。
dusie mannayo

요시코: 어디에서 만날까요? 在哪儿见面?
eodieseo mannalkkayo

인 수: 이태원 맥도날드에서 만나요.
itaewon maekdonaldeu-eseo mannayo
在梨泰院的麦当劳见吧。

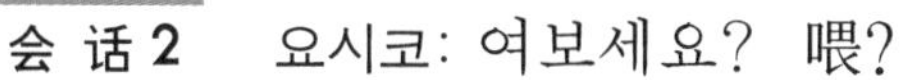

会 话 2

요시코: 여보세요? 喂?
yeoboseyo

소 라: 누구세요? 谁啊?
nuguseyo

요시코: 저는 요시코예요. 我是淑子。
jeoneun yosikoyeyo

소 라: 누구 찾으세요? 你找谁?
nugu chajeuseyo

요시코: 인수 씨를 찾습니다.
insu ssireul chatseumnida
我找인수先生。

소 라: 지금 여기 안 계십니다.
jigeum yeogi an gyesimnida
现在他不在这儿。

요시코: 요시코가 전화했다고 전해 주세요.
yosikoga jeonhwahaetdago jeonhae juseyo
请转告一下淑子来过电话。

■生 词■

• ~씨	~先生	• 여보세요?	喂?	• 있어요?	在吗?
• 누구	谁	• 없어요?	不在吗?	• 찾으세요?	找~吗?
• 저예요	是我	• 몇 시	几点	• 지금	现在
• 만날까요?	~见面? / 见面怎么样?	• 여기	这里 / 这儿	• 만나다	见面 / 见
• 안	不	• 계십니다	在	• 2시	两点
• 안 계십니다	不在	• 어디에서	在哪儿	• 이태원	梨泰院
• 전해 주세요	转告	• 맥도날드	麦当劳	• 전화	电话
• 전화했다고	打过电话 / 来过电话				

关联词语

시간 표현 (关于时间)

• 한 시	1:00	hansi	• 세 시 반	3:30	sesi ban
• 두 시	2:00	dusi	• 네 시 반	4:30	nesi ban
• 세 시	3:00	sesi	• 한 시 십 분	1:10	hansi sipbun
• 네 시	4:00	nesi	• 두 시 이십 분	2:20	dusi isipbun
• 다섯 시	5:00	daseossi	• 세 시 사십 분	3:40	sesi sasipbun
• 한 시 반	1:30	hansi ban	• 네 시 십 분전	3:50	nesi sipbun jeon
• 두 시 반	2:30	dusi ban	• 다섯 시 십오 분전	4:45	daseossi sipobun jeon

세 시 3:00
se si

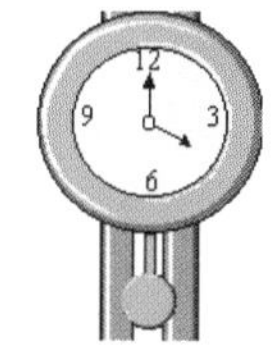

네 시 4:00
ne si

열두 시 오십오 분 12:55
yeoldusi osipobun

한 시 오 분 전
hansi obun jeon

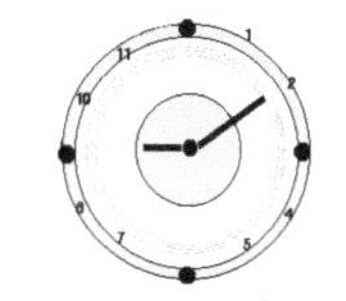

아홉 시 십분 9:10
ahopsi sipbun

여섯 시 오십 분 6:50
yeoseosi osipbun

일곱 시 십 분 전
ilgopsi sipbun jeon

두시 오십오분 2:55
dusi osipobun

세 시 오 분 전
sesi obun jeon

한 시 사십오 분 1:45
hansi sasipobun

다섯 시 5:00
daseossi

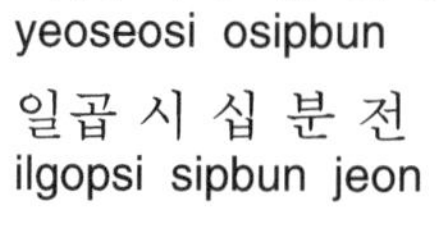

열두 시 사십 분 12:40
yeoldusi sasip-bun

열 시 반 10:30
yeolsi ban

열시 삼십 분
yeolsi samsipbun

열한 시 오 분 11:05
yeolhansi obun

의문 표현 (疑问代词)

누구 (谁)	**무엇** (什么)	**어디** (哪儿)	**언제** (什么时候)
어느 것 (哪个)	**어떻게** (怎么)	**왜** (为什么)	

누구를 좋아합니까?
nugureul joahamnikka
你喜欢谁?

무엇을 합니까?
mueoseul hamnikka
干什么?

어디에 갑니까?
eodie gamnikka
你去哪儿?

언제 갑니까?
eonje gamnikka
什么时候去?

어느 것을 좋아합니까?
eoneu geoseul joahamnikka
你喜欢哪个?

어떻게 사용합니까?
eotteoke sayonghamnikka
怎么使用?

语法理解

1 '여보세요?' : 打电话的时候用，是 '喂' 的意思。

여보세요?

2 '있어요?', '계세요?' : 打电话的时候用， 是 '~在吗?' 的意思。我比对方大或者朋友之间用 '있어요?'，对方比我年龄大的时候用 '계세요?'。

_________ **있어요? / 계세요?** : _________ 在吗?

수미 씨	헨리 씨	소라 씨	앤디 씨	영주 씨	존 씨
사장님	과장님	목사님	원장님	선생님	신부님

3 '누구세요?' : 打电话的时候用， '你是谁?' 的意思。

누구세요? : 你是谁? **누구(를) 찾으세요?** : 你找谁?

4 '(으)ㄹ까요?' : 疑问词尾。问对方的意见、相法时用。

_________ **만날까요?** : ~见面怎么样?

두 시에	네 시에	다섯 시에	일곱 시에
du sie	ne sie	daseot sie	ilgop sie
两点钟	四点钟	五点钟	七点钟

5 '~에서' : 是 '在~地方' 的意思。

_________ **에서 만나요.** : 在~见吧!

맥도날드	버거킹	웬디스	지하철역
maekdonaldeu	beogeoking	wendiseu	jihacheolyeok
麦当劳	汉堡王	温德汉堡	地铁站

⑥ '~고 전해 주세요' : '替(我)告诉(他)~, 请转告~'的意思。

~고 전해 주세요. : 替(我)告诉(他)~, 请转告~。

전화했다고 전해 주세요. 请告诉他我来过电话。
jeonhwahaetdago jeonhae juseyo

찾는다고 전해 주세요. 请告诉他我在找他。
channeundago jeonhae juseyo

练　习

1 模仿下面的例句完成句子。

例子
여보세요? 수미 씨 있어요? : 喂? 수미在吗?

(1) ______? ______ 있어요?(요시코)　(2) ______? ______ 있어요?(재헌)

(3) ______? ______ 있어요?(사무엘)　(4) ______? ______ 있어요?(푸휘)

2 回答问题。

例子
여보세요? (对方名字) 씨 있어요? : 喂! ~(对方名字)在吗?

回答 1 : ____________________ (认识的人打电话过来)

回答 2 : ____________________ (不认识的人打电话过来)

3 填恰当词语完成句子

(1) ____________________에 만날까요? (问大概的时间)

(2) ____________________에 만나요. (回答准确的时间)

(3) ____________________에서 만날까요? (问约会的地方)

(4) ____________________에서 만나요. (回答准确的地方)

4 改成敬语。(比如“나”改成“저”)

(1) 나는 인수예요. → ______________ . 我是인수。

(2) 그녀는 요시코예요. → ______________ . 她是淑子。

(3) 우리는 학생이에요. → ______________ . 我们是学生。

(4) 그분들은 선생님이에요. → ______________ . 他们是老师。

(5) 이 사람은 누구예요? → ______________ . 这个人是谁?

(6) 나는 사장을 만났어요. → ______________ . 我见到了(公司的)董事长。

(7) 나는 전무이사를 만났어요. → ______________ . 我见到了(公司的)专务理事。

(8) 나는 부장을 만났어요. → ______________ . 我见到了(公司的)部门经理。

(9) 나는 과장을 만났어요. → ______________ . 我见到了(公司的)科长。

朗读练习

(1) 여보세요? 114입니까?
喂? 是114吗?

(2) 인수 씨 있어요?
인수先生在吗?

(3) 요시코가 전화했다고 전해 주세요.
请转告他淑子来过电话。

(4) 몇 시에 어디에서 만날까요?
我们几点钟, 在哪儿见面?

(5) 인수 씨는 지금 여기 안 계십니다.
인수先生现在不在这里。

제 11 과
第11课
이태원은 어떻게 가요? 去梨泰院怎么走?

句型

1. 이태원은 어떻게 가요? 去梨泰院怎么走?
   itaewoneun eotteoke gayo
2. 지하철을 타세요. 坐地铁吧。
   jihacheoreul taseyo

会 话

会 话 1

존 : 이태원은 어떻게 가요?
itaewoneun eotteoke gayo
去梨泰院怎么走?

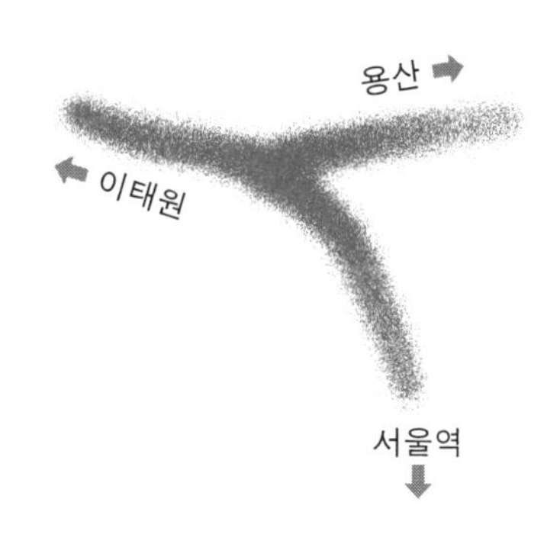

유미: 지하철 6호선을 타세요.
jihacheol yukhoseoneul taseyo
坐地铁6号线。

그리고 이태원역에서 내리세요.
geurigo itaewonyeogeseo naeriseyo
在梨泰院站下车。

존 : 맥도날드는 어떻게 가요?
maekdonaldneun eotteoke gayo
去到麦当劳怎么走?

유미: 지하철역에서 걸어서 가세요.
jihacheolyeogeseo georeoseo gaseyo
从地铁站走着去吧。

존 : 걸어서 얼마나 걸려요? 走着去要多长时间?
georeoseo eolmana geollyeoyo

유미: 금방이에요. 马上就到。
geumbangieyo

会话 2

존：이태원역 한 장 주세요.
itaewonyeok han jang juseyo
给我一张到梨泰院的票。

직원：900원입니다.
gubaek wonimnida
九百块。

존：어느 쪽으로 가요?
eoneu jjogro gayo
往哪儿走?

직원：저 표시를 따라가세요.
jeo pyosireul ttaragaseyo
照那个指标走吧。

존：감사합니다. 谢谢。
gamsahamnida

(지하철을 탄다.)
上了地铁。

지하철 방송：다음 역은 이태원역입니다.
daeum yeogeun itaewonyeogimnida
下一站是梨泰院。

내리실 문은 왼쪽입니다.
naerisil muneun oenjjogimnida
下车的门在左侧。

▪生 词▪

• 900원	九百块	• 어느	哪(个)
• 어떻게	怎么	• 어느 쪽	往那儿
• 지하철	地铁	• 저기	那个
• 6호선	六号线	• 표시	指标
• 따라가세요	照～走	• 내리세요	下车
• 다음	下～/下一～	• 타세요	上/坐
• 다음 역	下一站	• 왼쪽	左边
• 걸어서	走着	• 걸려요	要～/需要～
• 어떻게 가요?	怎么走?	• 내리실 문	下车的门

关联词语

교통 수단 (交通手段)

자전거 自行车
jajeongeo

오토바이 摩托车
otobai

승용차 轿车
seungyongcha

버스 公共汽车
beoseu

기차 火车
gicha

지하철 地铁
jihacheol

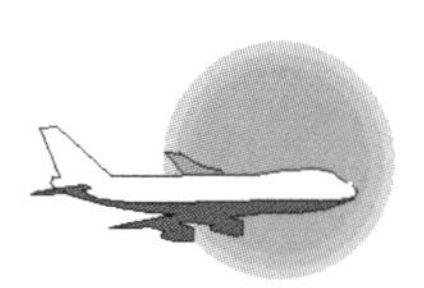

비행기 飞机
bihaenggi

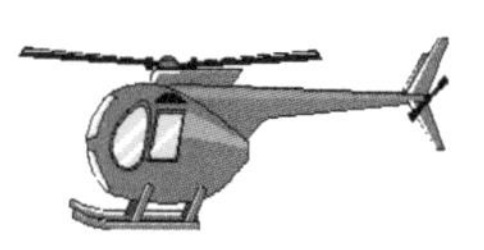

헬리콥터 直升飞机
hellikopteo

여객선 客轮
yeogaekseon

유람선 游船
yuramseon

트럭 卡车
teureok

택시 出租汽车/的士
taeksi

语法理解

1. (은)는 어떻게 가요? : 问路时用。

> ＿＿＿＿＿＿ **은(는) 어떻게 가요?** : 去＿＿＿＿＿＿怎么走?

맥도날드 麦当劳
maekdonaldeu

지하철역 地铁站
jihacheolyeok

이태원 梨泰院
itaewon

학교 学校
hakgyo

출입국 관리 사무소 出入境管理局
churipguk gwanri samuso

2. '~(으)로 가요?' : 意思是'往~走吗?'。

> ＿＿＿＿＿＿ **으로 가요?** : 往~走吗?

어느 쪽 哪边
eoneu jjok

이 쪽 这边
i jjok

저 쪽 那边
jeo jjok

그 쪽 那边
geu jjok

3 '~(을)를 타세요' : '坐~吧' 的意思。

_______ **(을)를 타세요.** : 坐~吧。

지하철 地铁
jihacheol

택시 出租汽车 / 的士
taeksi

승용차 轿车
seungyongcha

버스 公共汽车
beoseu

자전거 自行车
jajeongeo

오토바이 摩托车
otobai

练 习

1 使用下列词语完成句子。

(1)

例子
이태원, 김포공항, 여의도, 한강시민공원, 롯데월드, 민속촌

① _______________에 어떻게 가요?

② _______________에 어떻게 가요?

③ _______________에 어떻게 가요?

④ _______________에 어떻게 가요?

⑤ _______________에 어떻게 가요?

(2)

例子
기차, 배, 버스, 택시, 승용차

① ____________ 을(를) 타고 가(세)요.

② ____________ 을(를) 타고 가(세)요.

③ ____________ 을(를) 타고 가(세)요.

④ ____________ 을(를) 타고 가(세)요.

⑤ ____________ 을(를) 타고 가(세)요.

(3)

例子
지하철을(를) 타세요.

① ____________ . (버스 公共汽车)

② ____________ . (택시 的士)

③ ____________ . (유람선 游船)

④ ____________ . (오토바이 摩托车)

⑤ ____________ . (자전거 自行车)

2 问答练习。

例子
어느 쪽으로 가야 되요?

(1) ____________ 으로 가세요. (왼쪽 左边)

(2) ____________ 으로 가세요. (오른쪽 右边)

(3) ____________ 으로 가세요. (이 쪽 这边)

(4) ____________ 으로 가세요. (저 쪽 那边)

(5) ____________ 가세요. (곧장 一直)

3 用你所掌握的地名完成句子。

(1) ________________________에 가요.

(2) ________________________에 가요.

(3) ________________________에 가요.

(4) ________________________에 가요.

(5) ________________________에 가요.

朗读练习

(1) 소라 씨, 집에는 어떻게 가요?
소라，你怎么回家？

(2) 서울역 한 장 주세요.
给我一张到首尔城站的票。

(3) 어느 쪽으로 가세요?
往哪儿走？

(4) 지하철로 얼마나 걸려요?
坐地铁去要多长时间？

(5) 어디에서 내리세요?
你在哪儿下车？

제 12 과
第12课

저는 내일 여행 갈 거예요.
我打算明天去旅游。

句型

1. 저는 내일 여행 갈 거예요. 我打算明天去旅行。
   jeoneun naeil yeohaeng gal geoyeyo
2. 무궁화호 한 장 주세요. 请给我一张无穷花号车票。
   mugunghwaho han jang juseyo

会 话

会 话 1

존 : 저는 내일 여행 갈 거예요.
jeoneun naeil yeohaeng gal geoyeyo
我打算明天去旅游。

유미: 어디 가세요?
eodi gaseyo
去什么地方?

존 : 경주에 갈 거예요.
gyeongjue gal geoyeyo
我要到庆州去。

한국의 전통적인 도시를 보고 싶어요.
hangugui jeontongjeogin dosireul bogo sipeoyo
我很想看一看韩国的传统的城市。

유미: 불국사가 가장 유명해요. 꼭 가 보세요.
bulguksaga gajang yumyeonghaeyo kkok ga boseyo
佛国寺最有名。 你一定去看看。

좋은 여행 되세요. 祝你旅游愉快。
joeun yeohaeng doeseyo

会 话 2

존 : 3시 30분 무궁화호 한 장 주세요.
sesi samsipbun mugunghwaho han jang juseyo
请给我一张3点半的无穷花号车票。

직원: 어디 가세요? 到哪儿?
eodi gaseyo

존 : 설악산에 갑니다.
seoraksane gamnida
我到雪岳山。

직원: 조금 늦으셨어요. 방금 떠났어요.
jogeum neujeusyeosseoyo bang-geum tteonasseoyo
你来晚了一点，去雪岳山的火车刚刚走了。

존 : 다음 열차는 몇 시에 있습니까?
daeum yeolchaneun myeot sie itseumnikka
下一趟是几点的?

직원: 4시 10분 새마을호입니다.
nesi sipbun saemaeulhoimnida
下一趟是新村号，4点10分出发。

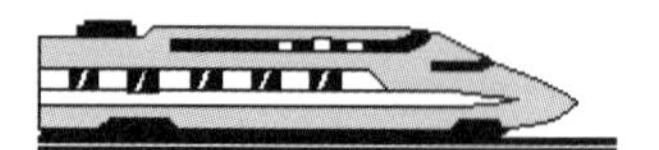

존 : 새마을호 한 장 주세요.
saemaeulho han jang juseyo
请给我一张新村号的。

■生 词■

• 내일	明天	• 보다	看	• 방금	刚刚／刚才
• 여행	旅游／旅行	• 가장	最	• 떠났어요	走了
• 갈 거예요	要去／打算去	• 유명한	有名的	• 다음	下一个／下一趟／下一班
• 어디	哪里	• 가 보세요	去看看吧	• 열차	火车
• 가세요?	走吗?／去吗?	• 꼭	一定	• 주세요	请给我
• 경주	庆州	• 표	票	• 좋은	愉快
• 한국	韩国	• 갑니다	去／走	• 도시	城市
• 늦다	晚	• 전통적인	传统的	• 조금	一点儿
• 보고 싶어요	想看／要看	• 몇 시?	几点?	• 무궁화호	无穷花号(快车)
• 새마을호	新村号(特快)				

关联词语

한국의 주요 역 (韩国主要火车站)

서울역, 수원역, 대전역, 대구역, 동대구역, 부산역

기차의 종류 (火车的种类)

KTX, 새마을호(特车), 무궁화호(快车)

표 세는 법 (数票 : 〈数+장〉)

네 장, 다섯 장, 여덟 장, 열 장, 열두 장

한국의 주요 도시 (韩国主要城市)

서울, 부산, 인천, 대구, 광주, 대전, 울산, 제주, 춘천

서울의 위성 도시 (汉城的卫星城市)

수원, 안양, 부천, 분당, 성남, 구리, 일산, 안산, 과천

语法理解

① '가세요' : 问去哪里的时候用。

어디 가세요? : 去哪儿?

경주에 가세요?
gyeongjue gaseyo
你去庆州吗?

설악산에 가세요?
seoraksane gaseyo
你去雪岳山吗?

② '~에', '~로' : 是'到~(哪儿)', '去~'的意思

경주에 갈 거에요. : 我到庆州去, 我要去庆州。

경주에 갈 거예요.
gyeongjue gal geoyeyo
我到庆州。

경주로 갈 거예요.
gyeongjuro gal geoyeyo
我要去庆州。

③ '~고 싶어요' : 是 '要~, 想~' 的意思。用 '动词词干+고 싶다' 的形式。

보고 싶어요. : 想看, 想见, 要看, 要见。

경주를 보고 싶어요.
gyeongjureul bogo sipeoyo
我要看庆州。

수미를 보고 싶어요.
sumireul bogo sipeoyo
我想见수미。

④ '가장' : 副词, 是 '最' 的意思。

가장 유명해요. : 最有名。

불국사가 가장 유명해요.
bulguksaga gajang yumyeonghaeyo
佛国寺最有名。

불국사가 해인사보다 더 유명해요.
bulguksaga haeinsaboda deo yumyeonghaeyo
佛国寺比海印寺更有名。

⑤ '좋은 ~이(가) 되세요' : 打招呼时, 或祝贺对方时用。

좋은 여행 되세요. : 祝你旅游愉快!

좋은 밤 되세요.
joeun bam doeseyo
晚安!

좋은 주말 되세요.
joeun jumal doeseyo
祝你周末愉快!

⑥ '~장' : 是买票时用的量词, 相当于 '请给我几张' 的张。

时间	火车的种类	几张
3시 30분	무궁화호 mugunghwaho	한 장 han jang
4시	KTX	두 장 du jang
5시	새마을호 saemaeulho	세 장 se jang

练　习

1 回答下面的问题。

例子
提问 : 어디 가십니까?

(1) 回答 : ________________ 갑니다. (강릉)

(2) 回答 : ________________ 갑니다. (경주)

(3) 回答 : ________________ 갑니다. (설악산)

(4) 回答 : ________________ 갑니다. (지리산)

(5) 回答 : ________________ 갑니다. (남해안)

2 使用括号里的词语完成下面的句子。

(1) 판교로 ____________________ .(去)

(2) 안양에 ____________________ .(打算去)

(3) 용인에 ____________________ .(打算去)

(4) 광주로 ____________________ .(要去)

(5) 분당으로 ____________________ .(去)

3 用括号里所提示的数量词完成下面的句子。

(1) 표 __________ 주세요. (5 张车票)

(2) 표 __________ 주세요. (10 张车票)

(3) 표 __________ 주세요. (7 张车票)

(4) 표 __________ 주세요. (11 张车票)

(5) 표 __________ 주세요. (14 张车票)

4 模仿例句。

子
두 시 무궁화호 한 장 주세요.

(1) ____ 주세요.

(2) ____ 주세요.

(3) ______________________________ 주세요.

(4) ______________________________ 주세요.

(5) ______________________________ 주세요.

5 用下面的词组造句。

(1) 새마을호 ______________________ .

(2) KTX ______________________ .

(3) 고속버스 ______________________ .

(4) 무궁화호 침대칸 ______________________ .

朗读练习

(1) 저는 모레 여행을 떠날 거예요.
　　我打算后天去旅游。

(2) 설악산을 보고 싶어요.
　　我想看雪岳山。

(3) 경주에 가고 싶어요.
　　我想去庆州。

(4) 불국사가 가장 유명해요.
　　佛国寺最有名。

(5) 새마을호 한 장 주세요.
　　请给我一张新村号的。

  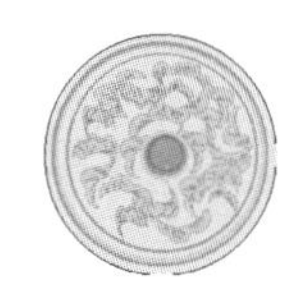 

제 13 과

第13课

방 구하기 找房子

句型

1. 자취 방 있어요? 有房子出租吗?
   jachwi bang isseoyo
2. 계약서를 작성합시다. 签合同吧。
   gyeyakseoreul jakseonghapsida

会 话

会话1

존 : 자취 방 있어요?
jachwi bang isseoyo
有房子出租吗?

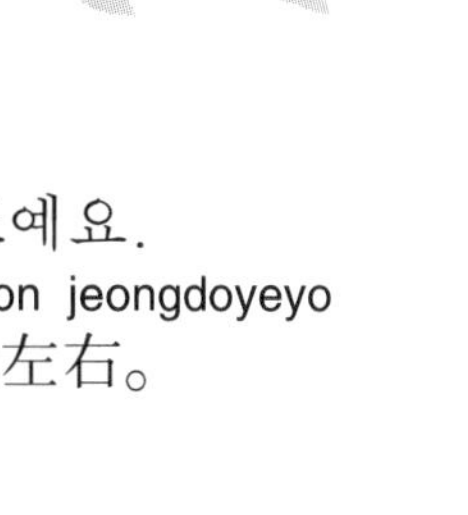

주인: 이 쪽으로 앉으세요.
i jjogeuro anjeuseyo
请这边坐。

존 : 얼마 정도 합니까?
eolma jeongdo hamnikka
大概多少钱?

주인: 보증금 100만 원에 월 10만 원 정도예요.
bojeung-geum baekman wone wol sipman won jeongdoyeyo
100万元的押金, 房租1个月10万元左右。

존 : 집 구경할 수 있어요?
jip gugyeonghal su isseoyo
可不可以看看房子?

주인: 예, 지금 같이 가 보시겠습니까?
ye jigeum gachi ga bosigetseumnikka
可以, 现在要一起去看吗?

会话2

주인: 이 방입니다. 就是这间。
i bang-imnida

존 : 방이 깨끗하고 좋군요. 房间又干净又好。
bang-i kkaekkeutago jokunyo

이 방으로 하겠습니다.
i bang-euro hagetseumnida
就租这间了。

주인: 사무실에서 계약서를 작성하도록 합시다.
samusileseo gyeyakseoreul jakseonghadorok hapsida
我们到办公室签合同。

주인: 여기에 이름과 주소와 여권 번호를 적어 주세요.
yeogie ireumgwa jusowa yeogwon beonhoreul jeogeo juseyo
请在这里写你的姓名, 地址和护照号码。

그리고 계약 기간은 1년으로 하시겠어요?
geurigo gyeyak giganeun ilnyeoneuro hasigesseoyo
还有, 你要租一年吗?

존 : 예, 1년으로 하겠습니다.
ye ilnyeoneuro hagetseumnida
是, 租一年。

주인: 계약금을 지불하시겠어요?
gyeyakgeum–eul jibulhasigesseoyo
能付订金吗?

존 : 예, 여기 있습니다.
ye yeogi itseumnida
能, 给你。

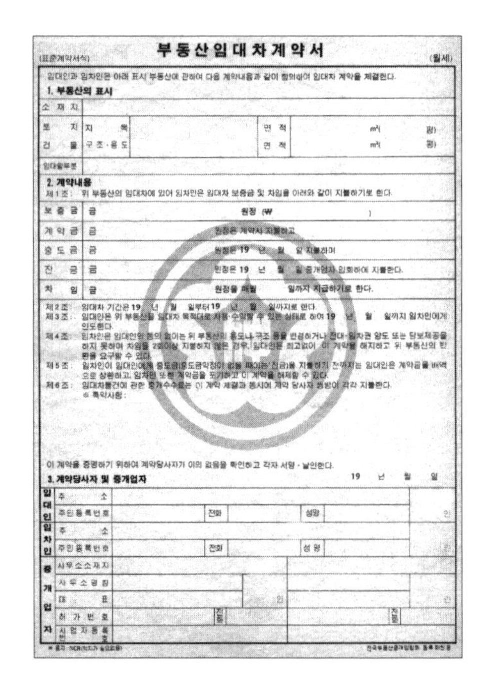

(표준계약서식) **부동산임대차계약서** (월세)

임대인과 임차인은 아래 표시 부동산에 관하여 다음 계약내용과 같이 합의하여 임대차 계약을 체결한다.

1. 부동산의 표시

소 재 지				
토 지	지 목		면 적	㎡(평)
건 물	구조·용도		면 적	㎡(평)
임대할부분				

2. 계약내용

제1조: 위 부동산의 임대차에 있어 임차인은 임대차 보증금 및 차임을 아래와 같이 지불하기로 한다.

보 증 금	금 원정 (₩)
계 약 금	금 원정은 계약시 지불하고
중 도 금	금 원정은 19 년 월 일 지불하며
잔 금	금 원정은 19 년 월 일 중개업자 입회하에 지불한다.
차 임	금 원정을 매월 일까지 지급하기로 한다.

제2조: 임대차 기간은 19 년 월 일부터 19 년 월 일까지로 한다.
제3조: 임대인은 위 부동산을 임대차 목적대로 사용·수익할 수 있는 상태로 하여 19 년 월 일까지 임차인에게 인도한다.
제4조: 임차인은 임대인의 동의 없이는 위 부동산의 용도나 구조 등을 변경하거나 전대·임차권 양도 또는 담보제공을 하지 못하며 차임을 2회이상 지불하지 않은 경우, 임대인은 최고없이 이 계약을 해지하고 위 부동산의 반환을 요구할 수 있다.
제5조: 임차인이 임대인에게 중도금(중도금약정이 없을 때에는 잔금)을 지불하기 전까지는 임대인은 계약금을 배액으로 상환하고, 임차인 또한 계약금을 포기하고 이 계약을 해제할 수 있다.
제6조: 임대차물건에 관한 중개수수료는 이 계약 체결과 동시에 계약 당사자 쌍방이 각각 지불한다.
※ 특약사항 :

이 계약을 증명하기 위하여 계약당사자가 이의 없음을 확인하고 각자 서명·날인한다.

3. 계약당사자 및 중개업자 19 년 월 일

임대인	주 소					
	주민등록번호		전화		성명	인
임차인	주 소					
	주민등록번호		전화		성명	인
중개업자	사무소소재지					
	사무소명칭					
	대 표		인			인
	허가번호		전화		전화	
	사업자등록번호					

▪生 词▪

• 부동산	房地产	• 앉다	坐	• 보증금	押金
• 월	月	• 지금	现在	• 방	房间 / 房子
• 좋다	好	• 계약서	契约 / 合同(书)	• 합시다	～吧
• 돈	钱	• 얼마 정도	大概多少	• 같이	一起
• 깨끗하다	干净	• 사무실	办公室	• 1년으로	一年
• 작성하다	写 / 签	• 할 수 있어요?	可不可以～ / 能不能～	• 정하다	订
• 자취 방	出租的房子	• ～정도	大概	• 일시불	一次性付款
• 집 구경	看房子	• 계약 기간	合同期间	• 계약금	订金

关联词语

집을 얻을 때 쓰는 용어 (租房种类)

전세 jeonse 大额押金房
월세 wolse 月租房
자취 jachwi 自己开火做饭房
하숙 hasuk 民房

语法理解

1 '얼마 정도 합니까?/됩니까?/입니까?' : 问 '多少～?, 多大' 等时用。在此是 '大概+(정도)+多少(얼마)?' 的意思。

> **얼마 정도 합니까? / 얼마 정도 됩니까? / 얼마 정도 입니까?**
> : 大概多少? / 有多～?

이 아파트는 얼마 정도 합니까? 租这公寓大概要多少钱?
i apateuneun eolma jeongdo hamnikka

방 크기는 얼마 정도 됩니까? 房间有多大?
bang keugineun eolma jeongdo doemnikka

계약 기간은 얼마 정도입니까? 租期大概几年?(几个月?)
gyeyak giganeun eolma jeongdo imnikka

② '~(을) 수 있다' : '可以~, 能~' 的意思。后面加上表示疑问的词尾 '~어요?' 句子的意思是 '可以~吗?'。

아파트를 구경할 수 있어요? : 我可以看看那间公寓吗?

오늘 만날 수 있어요?
oneul mannal su isseoyo
今天能见面吗?

김치를 먹을 수 있어요?
gimchireul meogeul su isseoyo
可以吃泡菜吗?

③ '~겠' : 表示未来。'(我)决定+动词~', '要~' 的意思。

이 방으로 하겠습니다. : 我决定用这间。

내일 다시 오겠습니다.
naeil dasi ogetseumnida
我明天再来。

내일 거기 가겠습니다.
naeil geogi gagetseumnida
我明天去那儿。

영화관에 같이 가시겠습니까?
yeonghwagwane gachi gasigetseumnikka
我们一起去看电影怎么样?

④ '~고' : 是连接词, 相当于 "又…又"。

깨끗하고 좋다. : 又干净又好。

하늘이 파랗고 맑다.
haneuri parako makda
天色又蓝又晴。

음식이 짜고 맵다.
eumsigi jjago maepda
这道菜又咸又辣。

⑤ '~과/와' : 连接词, 是 '和, 跟, 与' 的意思。

이름과 주소와 여권 번호 : 姓名, 地址和护照号码

바나나와 사과와 오렌지
香蕉, 苹果和橙子。
bananawa sagwawa orenji

음식과 음료수
菜和饮料。
eumsikgwa eumryosu

⑥ '~하도록/하기로 합시다' : '动词+吧' 是 '(我们)~做吧!' 的意思。熟悉的朋友之间只要说 '~하도록/하기로 하자' 即可。

계약서를 작성하도록 합시다. : 我们签合同吧。

공부를 하도록 합시다.
gongbureul hadorok hapsida
我们学习吧。

불고기를 먹도록 합시다.
bulgogireul meokdorok hapsida
我们吃烤肉吧。

공부를 하도록 하자.
gongbureul hadorok haja
我们学习吧。

불고기를 먹도록 하자.
bulgogireul meokdorok haja
我们吃烤肉吧。

练　习

1 模仿下面的例子作练习。(动词的变化)

例子
하다 → 할 수 있다.　能做。
먹다 → 먹을 수 있다.　能吃。

(1) 쓰다 → ________ 能写。
(2) 가져오다 → ________ 能带来。
(3) 가다 → ________ 能去。
(4) 사다 → ________ 能买。

2 按照下面的例子作练习。

例子
1,000,000원 → 백만 원

(1) 2,500,000원 → ________
(2) 3,000,000원 → ________
(3) 450,000원 → ________
(4) 150,000,000원 → ________

3 动词变化练习。

例子
가다 → 가겠어요 → 가겠습니다 → 가시겠어요?

(1) 오다 来 → ________ → ________ → ________?
(2) 잡다 抓 → ________ → ________ → ________?

(3) 놀다 玩 → ________ → ________ → ________?

(4) 믿다 相信 → ________ → ________ → ________?

(5) 하다 做 → ________ → ________ → ________?

4 请按照顺序把下面的词语整理一下。

(1) 이름, 주소, 여권 번호

(2) 가방, 열쇠, 수첩

(3) 컴퓨터, 디스켓, 프린터

(4) 갈비, 설렁탕, 냉면

(5) 한국 사람, 나이지리아 사람, 케냐 사람

5 用 '~고' 完成句子。

(1) 아름답다(漂亮), 깨끗하다(干净)

(2) 고요하다(安静), 아늑하다(暖和), 넓다(宽广)

(3) 착하다(善良), 정직하다(正直)

朗读练习

(1) 자취 방 있어요?
有出租的房子吗?

(2) 계약을 하시겠어요?
你要订合同吗?

(3) 계약 기간은 1년입니다.
租期为一年。

(4) 사무실에서 계약서를 작성합시다.
我们去办公室签合同书吧。

(5) 지금 방 구경을 할 수 있을까요?
现在可以看房间吗?

제 14 과

第14课

은행에서 在银行

句型

1. 통장을 만들려고 하는데요. 我要办个存折。
   tongjang-eul mandeulryeogo haneundeyo
2. 돈을 찾으려고 하는데요. 我要取钱。
   doneul chajeuryeogo haneundeyo

▪会 话▪

会 话 1

존 : 통장을 만들려고 하는데요.
tongjang-eul mandeullyeogo haneundeyo
我要办个存折。

은행원: 신청서를 작성해 주세요.
sincheongseoreul jakseonghae juseyo
请填写申请表。

존 : 여기에는 무엇을 씁니까?
yeogieneun mueoseul sseumnikka
这边写什么?

은행원: 여권 번호를 써 주세요.
yeogwon beonhoreul sseo juseyo
写你的护照号码。

그리고 도장과 신분증을 주세요.
geurigo dojanggwa sinbunjeung-eul juseyo
看一下印章和身份证。

존 : 다 썼는데 이제 어떻게 하지요?
da sseonneunde ije eotteoke hajiyo
填完了，该怎么办?

은행원: 잠시만 기다려 주세요.
jamsiman gidaryeo juseyo
请稍等。

(잠시 후)(过了一会儿)

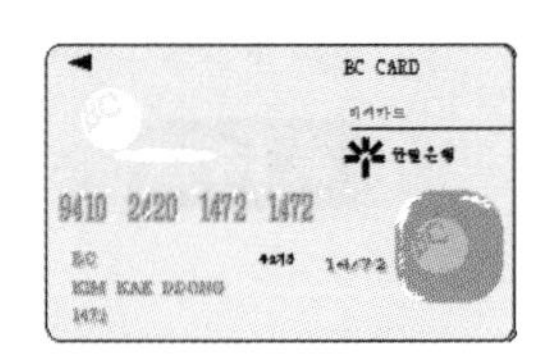

은행원: 여기 통장과 현금카드가 있습니다.
yeogi tongjanggwa hyeongeumkadeuga itseumnida
这是存折和现金卡。

존 : 감사합니다. 谢谢。
gamsahamnida

会话 2

존 : 돈을 찾으려고 하는데요. 我要取钱。
doneul chajeuryeogo haneundeyo

은행원: 통장과 지급신청서를 작성해 주세요.
tongjanggwa jigeubsincheongseoreul jakseonghae juseyo
存折给我，请写取款单。

도장을 주시고, 비밀번호를 적어 주세요.
dojang-eul jusigo bimilbeonhoreul jeogeo juseyo
请给我印章，写一下密码。

존 : 여기 있습니다. 给你。
yeogi itseumnida

은행원: 여기 십만 원짜리 수표 한 장과 현금 3만 원입니다.
yeogi sipman won-jjari supyo han janggwa hyeongeum samman wonimnida
1张10万块的支票和现金3万块。

확인해 보세요.
whaginhae boseyo
请确认一下。

존 : 감사합니다.
gamsahamnida
谢谢。

찾으실 때 / **입금하실 때**

금 원 (₩)	계좌번호	- -
	성 명	☎

계좌번호	
대 체	
현 금	
지급회차지정시	수수료
위와 같이 지급하여 주십시오. (이 예금/신탁의 최종계산을 승인합니다.) 예금주 (수익자) (인) (서명)	실명확인 / 절차확인 / 인감대조
비밀번호	

입금 요구서	계좌번호	
	성 명	
	금 액	

금 액			
대 체			
현 금			
타점권			
수표발행	1매당 발행금액	매수	금 액
	10만원권		
	만원권		
합 계			

수수료 ______ 평생은행

■生 词■

• 통장	存折	• 만들다	办／作	• 모두	全部／一共
• 기다리다	等	• 돈	钱	• 인출	取钱
• 수표	支票	• 적다	写	• 현금	现金
• 저금하다	储蓄	• 만들려고	要办～	• 작성하다	写
• 쓰다	写	• 그리고	和／还有	• 신분증	身份证
• 현금카드	现金卡	• 찾다(인출하다)	取	• 여권 번호	护照号码
• 확인해 보다	确认一下	• 확인하다	确认	• 신청서	申请表
• 지급신청서	取款单	• 도장	印章	• 비밀번호	密码

语法理解

1 '～(으)려고'：是连接词，后面通常连用 '～하다'，表示'打算～，要～，想～'的意思。

통장을 만들려고 하는데요.：我想办个存折。

한국어를 배우려고 하는데요.
hangugeoreul baeuryeogo haneundeyo
我要学习韩语。

도서관에서 책을 읽으려고 하는데요.
doseogwaneseo chaegeul ilgeuryeogo haneundeyo
我想在图书馆看书。

2 '～아/어 주세요'，：一般是动词词干＋아/어 주세요的形态，相当于汉语的'动词＋给我'，'动词＋给我/出/一下'。 比如写，写出给我，写给我等等。

써 주세요.：写给我，写出～，写一下。

여권 번호를 써 주세요.
yeogwon beonhoreul sseo juseyo
请写一下你的护照号码。

신청서를 작성해 주세요.
sincheongseoreul jakseonghae juseyo
请填写申请书。

비밀번호를 적어 주세요.
bimilbeonhoreul jeogeo juseyo
请写一下密码。

잠시만 기다려 주세요.
jamsiman gidaryeo juseyo
请稍等。

③ '~은/는' : 是附在主语后加的词尾。

여기에는 무엇을 씁니까? : 这儿写什么?

④ '~고' : 是两个动作之间用的连接词。一般来说它是'和'的意思，有时它有'还'的意思。

도장을 주시고 비밀번호를 적어 주세요. : 请给我印章，并写一下密码。

신청서를 작성하고 사인해 주세요.
sincheongseoreul jakseonghago sainhae juseyo
请写申请单，签一下名。

통장은 여기 있고 현금카드는 여기 있습니다.
tongjang-eun yeogi itgo hyeongeumkadneun yeogi itseumnida
这里有存折和现金卡。

⑤ '~아/어 보다' : '动词词干+보다'的用法，相当于汉语的'动词+一下'。

확인해 보세요. : 确认一下。

찾아 보세요. 找一下。
chaja boseyo

가 보세요. 去看一下。
ga boseyo

기다려 보세요. 等一下。
gidaryeo boseyo

1 模仿例句作练习。

(1)

여기에는 무엇을 씁니까? (여권 번호) → 여권 번호를 써 주세요.
这里写什么? (护照号码) → 请写一下你的护照号码。

① 여기에는 무엇을 씁니까? (생년월일 出生年月日)
→ ______________________.

② 여기에는 무엇을 씁니까? (이름 姓名)
→ ______________________.

③ 여기에는 무엇을 씁니까? (비밀번호 密码)
→ ______________________.

④ 여기에는 무엇을 씁니까? (현주소 地址)
→ ______________________.

(2)

例子
통장을 만들다. → 통장을 만들려고 하는데요.
办个存折。 → 我想办个存折。

① 집에 가다. 回家。
→ ______________________.

② 공원에서 놀다. 在公园玩。
→ ______________________.

③ 오늘 식당에서 밥을 먹다. 今天在餐厅吃饭。
→ ______________________.

④ 도서관에서 공부를 하다. 在图书馆学习。
→ ______________________.

⑤ 방에서 책을 읽다. 在房间看书。
→ ______________________.

(3)

例子
신청서를 작성하다. → 신청서를 작성해 주세요.
写申请单。 → 请你写一下申请单。

① 여기에 쓰다. 写这儿。
→ ______________.

② 학교에 가다. 去学校。
→ ______________.

③ 공책을 찾다. 找笔记本。
→ ______________.

② 책을 읽다. 看书。
→ ______________.

⑤ 창문을 열다. 打开窗户。
→ ______________.

2 请把下面的两个单句, 连成一个复句子。

(1) 도장을 주세요. 비밀번호를 적어 주세요.

(2) 수미는 학교에 갑니다. 헨리는 은행에 갑니다.

(3) 수미는 오렌지를 먹습니다. 헨리는 귤을 먹습니다.

3 用韩语写一下‘请你稍等’。

朗读练习

(1) 돈을 찾으려고 하는데요. 我要取钱。

(2) 지급신청서를 작성해 주세요. 请填写取款单。

(3) 비밀번호, 도장, 주소, 여권이 필요합니다.
需要你的密码、印章、地址和护照。

(4) 수표와 현금을 확인해 보세요. 请确认一下支票和现金。

(5) 신분증을 주세요. 看看你的身份证。

제 15 과
第15课

백화점에서　在百货商店

句型

1. 운동화를 사려고 해요.　我想买运动鞋。
   undonghwareul saryeogo haeyo
2. 사이즈는 어떻게 되요?　你穿多大号的?
   saijeuneun eotteoke doeyo

■会 话■

会 话 1

안내원: 무슨 매장을 찾으십니까?　你找什么柜台?
museun maejang-eul chajeusimnikka

존 : 운동화를 사려고 해요.　我想买运动鞋。
undonghwareul saryeogo haeyo

안내원: 운동화는 6층에 있습니다.　运动鞋在6楼。
undonghwaneun yukcheung-e itseumnida

존 : 엘리베이터는 어디 있습니까?　电梯在哪儿?
ellibeiteoneun eodi itseumnikka

안내원: 엘리베이터는 저기에 있고, 에스컬레이터는 이 쪽에 있습니다.
ellibeiteoneun jeogie itgo eskeolleiteoneun i jjoge itseumnida
电梯在那边, 自动扶梯在这边。

존 : 알겠습니다.　知道了。
algetseumnida

会 话 2

존 : 운동화를 사려고 해요.
undonghwareul saryeogo haeyo
我想买运动鞋。

점원: 색깔은 파란색, 검은색, 흰색이 있어요.
saekkkareun paransaek, geomjeunsaek huinsaegi isseoyo
颜色有蓝的、黑的和白的。

상표는 나이키, 프로스펙스, 아디다스가 있어요.
sangpyoneun naiki peurospekseu adidaseuga isseoyo
有耐克、派克和阿迪达斯牌子。

일반 상표도 저 쪽에 있어요.
ilbansangpyodo jeo jjoge isseoyo
普通牌子的也在那边。

존 : 흰색 나이키가 마음에 들어요.
huinsaek naikiga maeume deureoyo
我喜欢白色的耐克。

그러나 일반 상표도 싸고 좋군요.
geureona ilbansangpyodo ssago jokunyo
但是不是名牌的也很便宜, 很好。

점원: 발 사이즈가 얼마입니까?
bal saijeuga eolmaimnikka
你穿多大(号)的?

존 : 265mm예요.
ibaek-yuksibo mirimiteoryeyo
26号半。

점원: 한번 신어 보세요.
hanbeon sineo boseyo
你试一下吧。

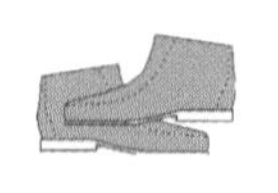

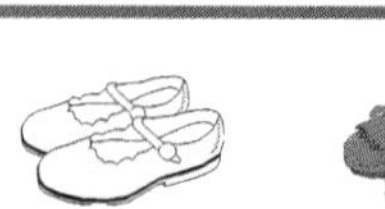

▪生 词▪

• 찾다	找	• 운동화	运动鞋	• 사이즈	大小 / 多大号
• 엘리베이터	电梯	• 파란색	蓝色 / 蓝的	• ~도	也
• 에스컬레이터	自动扶梯	• 흰색	白色 / 白的	• 한번	一下
• 일반상표	普通牌子	• 마음에	在心里	• 사다	买
• 저기에	那边	• 발	脚	• 6층	6楼
• 검은색	黑色	• 상표	牌子	• 색깔	颜色
• 백화점	百货商店	• 사려고 해요	想买	• 안내원	服务员
• 신다	穿				

关联词语

有关颜色的内容，请在第6页查阅。

语法理解

① '~(으)려고'：相当于'打算~、想~、要~'。

운동화를 사려고 해요.：我要买运动鞋。

운동화를 사려고 해요. 我要买运动鞋。
undonghwareul saryeogo haeyo

백화점에 가려고 해요. 我想去百货商店。
baekwhajeome garyeogo haeyo

② '~아/어/여 보다'：是试试看的意思。'取动词词干＋보다'形式。

신어 보세요.：试一试吧，试试看吧。

한번 입어 보세요.
hanbeon ibeo boseyo
穿穿看吧。

한번 먹어 보세요.
hanbeon meogeo boseyo
尝尝吧。

③ '색깔은 흰색이 있어요' : 是'颜色有白的'意思。

색깔은 파란색, 검은색, 흰색이 있어요.
: 颜色有蓝的、黑的和白的。

동물은 호랑이, 원숭이, 곰이 있어요.
dongmureun horang-i wonsung-i gomi isseoyo
动物有老虎、猴子和熊。

신발은 운동화, 구두, 샌들이 있어요.
sinbareun undongwha gudu saendeuri isseoyo
鞋有运动鞋、皮鞋和凉鞋。

④ '~도' : '也'的意思。

일반 상표도 있어요. : 也有普通牌子的。

빨간색도 있어요.
ppalgangsaekdo isseoyo
红的也有。

연필도 있어요.
yeonpildo isseoyo
铅笔也有。

⑤ '~군요' : 表示发现什么，了解了什么。

일반 상표도 싸고 좋군요. : 普通牌子也又便宜又好。

나이키도 튼튼하고 좋군요.
naikido teunteunhago jokunyo
耐克牌子也又结实又好。

흰색도 깨끗하고 예쁘군요.
huinsaekdo kkaekkeutago yeppeugunyo
白色的也又干净又漂亮。

练　习

1 模仿例子完成下面的句子

(1)

例子
어느 매장을 찾으세요? (와이셔츠를 사다. 买衬衫)
你找哪个柜台?
→ 와이셔츠를 사려고 해요. 我想买衬衫。

① 어디를 찾으세요? (구두를 사다. 买皮鞋。)
→ ________________ .

② 어디를 찾으세요? (양복을 사다. 买西服。)
→ ________________ .

③ 어디를 찾으세요? (색동이불을 사다. 买彩缎被子。)
→ ________________ .

④ 어디를 찾으세요? (가전제품을 사다. 买家用电器。)
→ ________________ .

(2)

例子
식료품 매장은 어디입니까? (지하 1층 地下1楼)
副食商场在哪儿?
→ 식료품 매장은 지하 1층입니다. 副食商场在地下1楼。

① 의류 매장(服装部)은 어디입니까? (5층)
→ ________________ .

② 신사복 매장(男装部)은 어디입니까? (3층)
→ ________________ .

③ 전자제품 매장(电器部)은 어디입니까? (7층)
→ ________________ .

(3)

例子
얼마예요? (14,500원) 多少钱?
→ 만사천오백 원입니다. 一万四千五百块。

① 이 공책(笔记本)은 얼마예요? (430원)
→ ________________ .

② 이 주스(果汁)는 얼마예요? (3,200원)
→ ________________ .

③ 그 과자(饼干)는 얼마예요? (2,800원)
→ ________________ .

2 请把下面的两个句子用连接词改成一个句子。

(1) 엘리베이터는 저기에 있습니다.
电梯在那边。
에스컬레이터는 이 쪽에 있습니다.
自动扶梯在这边。

(2) 운동화는 6층에 있어요.
运动鞋在6楼。
옷은 4층에 있어요.
服装在4楼。

(3) 프로스펙스는 이 쪽에 있어요.
派克牌的在这边。
일반 상표는 저 쪽에 있어요.
普通牌子的在那边。

3 请你用 '～도' 改成下面的句子.

(1) 일반 상표가 싸고 좋아요. 普通牌子又便宜又好。
→ ______________________.

(2) 검은색이 좋아요. 喜欢黑的。
→ ______________________.

(3) 사과가 좋아요. 喜欢苹果。
→ ______________________.

(4) 바지가 좋아요. 喜欢裤子。
→ ______________________.

(5) 한국어가 좋아요. 喜欢韩语。
→ ______________________.

朗读练习

(1) 셔츠를 사려고 해요. 我要买衬衫。

(2) 운동화는 4층에 있어요. 运动鞋在4楼。

(3) 목 사이즈가 얼마입니까? 你的领口多大?

(4) 검은색 프로스펙스 운동화가 마음에 들어요.
我喜欢黑色的派克运动鞋。

(5) 한번 신어 보세요. 你穿一下吧。

제16과

第16课

편지 쓰기 写信

句型

1. 어떻게 지내셨습니까? 过得怎么样?
   eotteoke jinaesyeotseumnikka
2. 연락을 기다리겠습니다. 我等你的联系。
   yeollageul gidarigetseumnida

알 림

通知

사무엘 로이그 씨에게
사무엘 로이그 先生：

안녕하세요? 어떻게 지내셨습니까? 태평양 대학교 한국어반 졸업생과 재학생의 친목 모임이 있습니다. 부디 오셔서 동문들과 의미 있는 시간을 가지시기 바랍니다.
annyeonghaseyo eotteoke jinaesyeotseumnikka taepyeongyang daehakgyo hankugeoban joreopsaenggwa jaehaksaeng-ui chinmok moimi itseumnida budi osyeoseo dongmundeulgwa uimiinneun siganeul gajis0igi baramnida
你好！过得怎么样？太平洋大学韩语班的毕业生和在校生举行联谊会。希望能来参加，和同学们共度有意义的时间。

일 시：5월 5일(日期)
장 소：종로 2가 미리내 레스토랑(地点)
시 간：12:00 PM(时间)
준비물：식사비(准备物：餐费)

만나 뵙기를 바랍니다. 안녕히 계십시오.
manna boepgireul baramnida annyeong-hi gyesipsio
（希望能见到你。再见。）

2004년 4월 20일(2004年 4月 20日)
존 알렌 올림(John Allen)
한국어반 동문회장(韩语班 同学会长)

초 대 장
(请帖)

유미 씨에게 (亲爱的유미:)
yumi ssiege

어떻게 지내셨어요?

이번 3월 17일에 존의 생일 파티가 있습니다. 하지만 존에게는 비밀이에요. 깜짝 파티를 해 주고 싶거든요. 시간이 나면 저의 집으로 5시까지 오세요. 낸시와 가드윈 그리고 차오민도 올 것입니다. 존에게는 7시에 잠시 들르라고 부탁했어요.

eotteoke jinaesyeosseoyo
ibeon samwol sipchilile jonui saengil patiga itseumnida hajiman jonegeneun bimirieyo kkamjjak patireul haejugo sipgeodeunyo sigani namyeon jeoui jibeuro daseosikkaji oseyo naensiwa gadeuwin geurigo chaomindo ol geosimnida jonegeneun ilgopsie jamsi deulreurago butakhaesseoyo

(你好? 近来过得怎么样?
3月17日有John的生日晚会。但是对John要保密。我们想给他开个惊喜聚会。如果你有时间，到5点钟之前来我家吧。Nancy、Godwin和Chaomin也要来。我对John已经说好让他7点钟来我家。)

회답을 기다릴게요. (等你的回信。)
안녕히 계세요. (再见。)
hoedabeul gidarilgeyo
an-nyeong-hi gyeseyo

2004년 3월 5일(2004年 3月 5日)
브라이언 드림(Brian敬上)

▪生 词▪

• 알림	通知	• 그동안	近来	• 지내다	过
• ~까지	到~	• 졸업생	毕业生	• 친목	联谊
• 식사비	餐费	• 부디	请 / 希望	• 동문	同学 / 校友
• 의미 있는	有意义的	• 가지다	度	• 일시	日期
• 만나다	见	• 생일 파티	生日晚会	• 깜짝 파티	惊喜聚会
• 잘	好好	• 집	家	• 오세요	(请)来~吧
• 오다	来	• 기다리다	等	• ~씨에게	~先生 / 亲爱的~
• 준비물	准备物	• 한국어반	韩(国)语班	• 재학생	在校生
• 이번	这次	• 바라다	希望	• 장소	地点
• 해 주다	给~	• 그 날	当天 / 那天	• 초대장	请帖
• 연락	联系	• 하지만	但是 / 可是	• 비밀	密 / 秘密
• 부탁하다	拜托	• 시간이 나다	有时间	• 들르다	来
• 올 것이다	要来	• 동문회	同学会	• ~고 싶다	想 / 要
• 잠시	一会儿	• 모임	会		

关联词语

그저께	前天
어제	昨天
오늘	今天

语 法 理 解

① '~씨/~님에게 /~에게', ~에게 ~께 : 写信时用, 写给~ '亲爱的~' 的意思。

사무엘 로이그 씨에게	亲爱的Samuel Roig선생(先生):
김유리 씨께	亲爱的김유리小姐:
이선미 선생님께	亲爱的이선미老师:
지미에게	亲爱的지미:

② 信的开头一般用下面的客套话。

안녕하세요? 어떻게 지내셨습니까?
: 你好? 过得怎么样?

③ 信的内容写完以后一般写上如下祝福的话, 表示再见的意思。

회답을 기다릴게요. 안녕히 계십시오. / 안녕히 계세요.
: 等你的回信。 再见。
만나 뵙기를 바랍니다. 안녕히 계십시오.
: 希望能见到你。 再见。

④ 写信的样式跟中国一样。1, 2是比较郑重的写法, 3是朋友之间用的。

1	2	3
2000년 1월 28일 존 알렌 올림	2000년 2월 3일 사무엘 로이그 드림	2000년 3월 2일 김유리 씀

서울특별시 은평구 대조동 1번지
태평양 대학교 한국어반
이영주 올림
122-030

stamp

경기도 안양시 만안구 박달 2동
사무엘 로이그 귀하
430-032

练　习

1 用写信时 '亲爱的～' 的称呼做做看。

(1) 이수미 → ____________　　(2) 존 알렌 → ____________

(3) 김유리 → ____________　　(4) 이영주 선생님 → _________

(5) 박지미(小孩) → _________

2 请写一下信的开头话。

→ ________________________________ .

3 请写一下写完信后的结束语。

→ ________________________________ .

4 请根据语法理解3，练习一下。

(1) 1999년 1월 5일, 김영자　　(她给她的父母写信)

(2) 1999년 2월 21일, 이인수　　(他给他的老师写信)

(3) 1999년 3월 13일, 박혜진　　(她给她的朋友写信)

5 请你写信给韩语班同学通知一件事情。详细的内容：韩语班打算在5月5日去爱宝乐园玩。5月5日早上11点在学校门口集合。

6 请给朋友写封信。

7 假如收信人的地位比寄信人高的话，应该怎样称呼收信人呢？寄信人又怎么样礼貌地称呼收信人呢？

寄信人　　名字：김은희
　　　　　地址：서울시 광진구 자양동 211번지 은마아파트 201동 502호
　　　　　邮政编码：148-204

收信人　　名字：박진우
　　　　　地址：대구시 남구 대명동 123번지
　　　　　邮政编码：192-143

朗读练习

(1) 어떻게 지내셨습니까?
过得怎么样？

(2) 다섯 시까지 오세요.
请你到5点钟之前来。

(3) 6월 21일에 혜영이의 결혼식이 있습니다.
6月21日有혜영的婚礼。

(4) 연락을 기다리겠습니다.
我等你的联系。

(5) 만날 수 있기를 바랍니다.
希望能见到你。

제 17 과

第17课

어디가 아프십니까? 你哪儿不舒服?

句型

1. 등이 아파서 움직일 수가 없습니다. 我的后背很痛，动不了。
   deung-i apaseo umjigil suga eopseumnida
2. 금방 나아지겠습니까? 你看我能马上恢复吗?
   geumbang naajigetseumnikka

会话

会话 1

119대원: 119 구조대입니다. 这是119急救队。
il-il-gu gujodaeimnida

푸 휘: 계단에서 넘어졌는데 움직일 수가 없습니다.
gyedaneseo neomeojyeotneunde umjigil suga eopseumnida
我在楼梯摔倒了，动不了。

도와주세요. 快来救我。
dowajuseyo

119대원: 주소와 전화번호를 천천히 말씀해 주십시오.
jusowa jeonhwabeonhoreul cheoncheonhi malseumhae jusipsio
请慢慢说一下你的地址和电话号码。

푸 휘: 주소는 강남구 신사동 11번지이고,
jusoneun gangnam-gu sinsa-dong sibilbeonjiigo
我的地址是江南区新砂洞11番地，

전화번호는 511-2936입니다.
jeonhwabeonhoneun o-il-il-i-gu-sam-yukimnida
电话号码是511-2936。

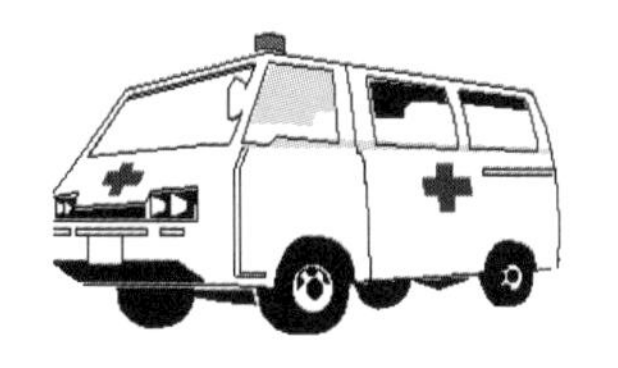

119대원: 예, 알겠습니다. 곧 가겠습니다.
ye algetseumnida got gagetseumnida
好，知道了。马上去。

会话 2

(병원에서) (在医院)
byeongwoneseo

의 사: 어디가 아프십니까? 你哪儿不舒服?
eodiga apeusimnikka

푸 휘: 등이 아파서 움직일 수가 없습니다.
deungi apaseo umjigil suga eopseumnida
我的后背很痛，动不了。

의 사: 찜질약을 매일 등에 붙이십시오.
jjimjilyageul maeil deunge buchisipsio
把热敷药每天贴在后背。

진통제는 식사 후에 드세요.
jintongjeneun siksa hue deuseyo
镇痛剂饭后服用。

푸 휘: 금방 나아지겠습니까? 你看我能马上恢复吗?
geumbang naajigetseumnikka

의 사: 3, 4일이면 나아질 거라고 생각합니다.
sam, sailimyeon naajil georago saenggakhamnida
我想过三四天就会好。

하지만, 심한 운동은 하지 마십시오.
hajiman, simhan undong-eun haji masipsio
但是，不要做太强烈的运动。

푸 휘: 예, 감사합니다. 好，谢谢大夫。
ye, gamsahamnida

■生 词■

- 119구조대 119急救队
- 넘어지다 摔倒
- 생각하다 想
- 마십시오 不要~
- 전화번호 电话号码
- 말(말씀)하다 说
- 말씀해 주세요 请说
- 가겠습니다 走 / 要走
- 계단 楼梯
- 나아질 거라고 就会好
- 운동 运动
- 도와 주세요 救我
- 붙이다 贴
- 식사 후 饭后
- 나아지다 好 / 恢复
- 3, 4일이면 三四天
- ~수 없다 ~不了
- 매일 每天
- 드세요 服用
- 아프다 疼 / 不舒服
- 움직이다 动
- 돕다 救 / 帮助
- 찜질약 热敷药
- 천천히 慢慢
- 어디 哪里 / 哪儿
- 진찰 看病
- 등 后背
- 주소 地址
- ~후 后 / 以后
- 하지만 但是 / 可是
- 하다 做
- 금방(곧) 马上
- 심한 强烈的
- 진통제 镇痛剂

关联词语

병에 관한 표현 (几种医疗用语)

목이 아프다 嗓子疼
mogi apeuda

머리가 아프다 头疼
meoriga apeuda

열이 있다 发烧
yeori itda

이가 아프다 牙疼
iga apeuda

피부가 가렵다 皮肤痒
pibuga garyeopda

콧물이 나다 流鼻涕
konmuri nada

주사를 놓다 打针
jusareul nota

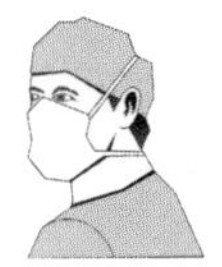

수술하다 动手术
susulhada

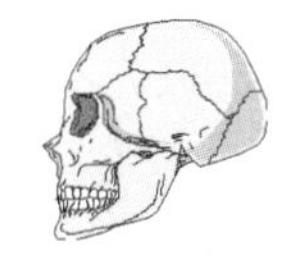

엑스레이를 찍다 照X光片
eks-reireul jjikda

语法理解

1 '~서 ~수(가) 없습니다(없다)' : '因为~所以不能~'。

> **등이 아파서 움직일 수가 없습니다.**
> : 因为后背很疼，所以动也动不了。

머리가 아파서 걸어갈 수가 없습니다.
meoriga apaseo georeogal suga eopseumnida
因为头很疼，所以不能走路。

목이 아파서 밥을 먹을 수가 없습니다.
mogi apaseo babeul meogeul suga eopseumnida
因为嗓子很疼，所以不能吃饭。

콧물이 나서 공부할 수가 없습니다.
konmuri naseo gongbuhal suga eopseumnida
因为流鼻涕，所以不能学习。

늦게 자서 일어날 수가 없습니다.
neutge jaseo ireonal suga eopseumnida
因为睡得很晚，所以起不来。

② '(으)ㄹ거라고 생각합니다'：表示说话人的看法、想法。

3, 4일이면 나아질 거라고 생각합니다.
：我想过三四天就会好。

그는 한국어를 공부할 거라고 생각합니다.
geuneun hangugeoreul gongbuhal georago saenggakhamnida
我想他可能学韩语。

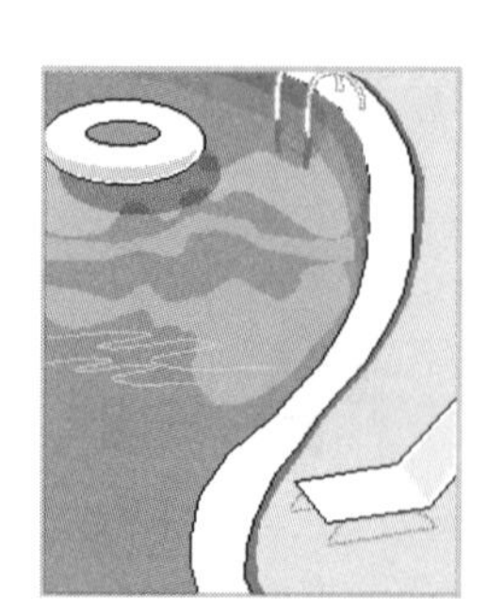

그는 내일 결석할 거라고 생각합니다.
geuneun naeil gyeolseokal georago saenggakhamnida
我想他明天不上课。

그는 이번 주까지 올 거라고 생각합니다.
geuneun ibeon jukkaji ol georago saenggakhamnida
我想他这个星期内回来。

그는 수영장에서 수영할 거라고 생각합니다.
geuneun suyeongjang-eseo suyeonghal georago saenggakhamnida
我想他在游泳池游泳。

그는 곧 나아질 거라고 생각합니다.
geuneun got naajil georago saenggakhamnida
我想他马上就会好。

③ '~지 마십시오'：表示'不要~'，'别~'的意思。'~은 하지 마십시오'相当于'千万不要做~'。

심한 운동은 하지 마십시오.
：千万不要做太强烈的运动。

술은 마시지 마십시오.
sureun masiji masipsio
千万不要喝酒。

담배는 피우지 마십시오.
dambaeneun piuji masipsio
千万不要吸烟。

결석은 하지 마십시오.
gyeolseogeun haji masipsio
千万不要旷课。

④ '~고' : 是连接两个并列关系的句子之间用的连接词。

저는 나이지리아 사람이고, 친구는 한국 사람입니다.
jeoneun naijiria saramigo, chin-guneun hanguk saramimnida
我是尼日利亚人，我的朋友是韩国人。

저는 도서관에 가고, 친구는 식당에 갑니다.
jeoneun doseogwane gago chin-guneun sikdang-e gamnida
我去图书馆，我的朋友去餐厅。

⑤ '~겠' : 是表示未来的，接在动词后面。

금방 나아지겠습니까?
geumbang naajigetseumnikka
能马上恢复吗?

내일 전화하겠습니다.
naeil jeonhwahagetseumnida
明天我给你打电话。

⑥ '~는데' : 是转折语气，意思是'但是，不过，可是，所以'的。

넘어졌는데 움직일 수가 없습니다.
neomeojyeonneunde umjigil suga eopseumnida
我摔了一下，可是动也动不了。

공부하는데 조용히 하십시오.
gongbuhaneunde joyonghi hasipsio
在学习，所以请你们安静一点。

练　习

1 模仿例句。

(1)

例子
허리가 아프다. → 허리가 아파서 공부할 수가 없습니다.
腰疼 → 因为腰疼，所以不能学习。

① 열이 있다. → ______________________. (发烧。)
② 목이 아프다. → ______________________. (嗓子疼。)
③ 기침이 나다. → ______________________. (咳嗽。)
④ 콧물이 나다. → ______________________. (流鼻涕。)
⑤ 머리가 아프다. → ______________________. (头疼。)

(2)

例子

움직이다. → 움직일 수가 없습니다.
动 → 动不了。

① 밥을 먹다. → ____________ .
② 잠을 자다. → ____________ .
③ 운동을 하다. → ____________ .
④ 일찍 일어나다. → ____________ .
⑤ 술을 마시다. → ____________ .

2 根据提问回答问题。

(1) 금방 나아지겠습니까? 马上会好吗?

(2) 언제, 왜 갔었습니까? 什么时候、为什么去了?

(3) 어디가 아팠습니까? 哪儿不舒服?

(4) 의사 선생님은 무슨 말씀을 하셨습니까? 大夫(跟你)说什么了?

朗读练习

(1) 계단에서 넘어져 119 구조대에 전화를 걸었습니다.
我在楼梯摔倒了，所以给119急救队打了电话。

(2) 주소와 전화번호를 말씀해 주세요.
请说一下你的地址和电话号码。

(3) 다리가 아파서 움직일 수가 없습니다.
腿很疼，不能动。

(4) 의사가 진통제를 주었습니다.
大夫给了镇痛剂。

(5) 3, 4일이면 나아질 거라고 했습니다.
(大夫说)过三四天就会好。

제 18 과
第18课

무슨 운동을 좋아하십니까?
你喜欢什么运动?

句型

1. 테니스는 좋아하지 않지만, 수영은 좋아합니다.
   tenisneun joahaji anchiman suyeong-eun joahamnida
   我不喜欢打网球, 但是喜欢游泳。
2. 무슨 음료수를 좋아하십니까? 你喜欢什么饮料?
   museun eumryosureul joahasimnikka

会话

会话 1

푸휘: 어제는 무엇을 하셨습니까?
eojeneun mueoseul hasyeotseumnikka
你昨天干了什么?

영주: 운동과 쇼핑을 했습니다.
undonggwa syoping-eul haetseumnida
锻练身体, 还去买东西了。

푸휘: 무슨 운동을 좋아하십니까?
museun undong-eul joahasimnikka
你喜欢什么运动?

영주: 테니스를 좋아합니다. 我喜欢打网球。
teniseureul joahamnida

푸휘 씨는 어떻습니까? puhui先生, 你呢?
puhwi ssineun eotteoseumnikka

푸휘: 저는 테니스는 좋아하지 않지만, 수영은 좋아합니다.
jeoneun teniseuneun joahaji anchiman suyeong-eun joahamnida
我不喜欢打网球, 可是喜欢游泳。

영주: 저도 수영을 좋아하니까, 이번 주말에 수영하러 같이 가지 않겠습니까?
jeodo suyeong-eul joahanikka ibeon jumale suyeonghareo gachi gaji anketseumnikka
我也喜欢游泳, 这个周末一起去游泳怎么样?

푸휘: 예, 좋습니다. 好啊!
ye joseumnida

会 话 2 （수영장에서）（在游泳场）
suyeongjang-eseo

영주: 푸휘 씨는 정말로 수영을 잘 하시는군요.
puhwi ssineun jeongmallo suyeong-eul jal hasineun-gunyo
puhui先生，你游泳游得真好！

이제 음료수를 마시러 가지 않겠습니까?
ije eumryosureul masireo gaji anketseumnikka
现在我们喝饮料去好吗？

푸휘: 그렇게 합시다. 好，那么去吧。
geureoke hapsida

무슨 음료를 좋아합니까?
museun eumryosureul joahamnikka
你喜欢什么饮料？

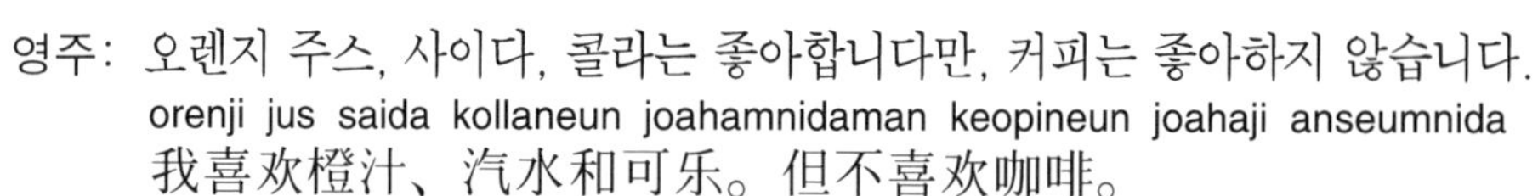

영주: 오렌지 주스, 사이다, 콜라는 좋아합니다만, 커피는 좋아하지 않습니다.
orenji jus saida kollaneun joahamnidaman keopineun joahaji anseumnida
我喜欢橙汁、汽水和可乐。但不喜欢咖啡。

푸휘: 저도 커피는 싫어합니다. 我也不喜欢咖啡。
jeodo keopineun sireohamnida

영주: 저기에 자판기가 있습니다.
jeogie japangiga itseumnida
那儿有自动贩卖机。

▪生 词▪

- 어제 昨天
- 좋아하다 喜欢
- 않다 不～
- 이번에 这次
- 같이 一起
- 잘 好
- 마시다 喝
- 오렌지 주스 橙汁
- 커피 咖啡
- 자판기 自动贩卖机
- 좋아하지 않지만 不喜欢，但是～
- 가지 않겠습니까? 去～怎么样?
- 쇼핑 买东西
- 테니스 网球
- 수영 游泳
- 주말 周末
- 좋습니다 好
- 이제 现在
- 그렇게 那么
- 사이다 汽水
- 싫어하다 不喜欢
- 있다 有
- 무슨(冠形词) 什么
- 어떻습니까? 怎么样? / 你呢?
- 저 我
- 수영하러 去游泳
- 정말로 真
- 음료수 饮料
- 마실 것 喝的
- 콜라 可乐
- 저기에 那儿
- 무엇을 什么
- 좋아합니다만 喜欢，但～

关联词语

운동 (运动)

농구를 하다
nong-gureul hada
打篮球

축구를 하다
chuk-gureul hada
踢足球

야구를 하다
yagureul hada
打棒球

테니스를 치다
teniseureul chida
打网球

골프를 치다
golpeureul chida
打高尔夫球

스키를 타다
skireul tada
滑雪

수영을 하다
suyeong-eul hada
游泳

태권도를 하다
taegwondoreul hada
打跆拳道

语法理解

1 '무슨', '무엇' : 疑问代词, 表示 '什么'。

무슨 운동을 좋아하십니까? 你喜欢什么运动?	**무엇을 좋아하십니까?** 你喜欢什么?

무슨 요리를 좋아하십니까?
museun yorireul joahasimnikka
你喜欢什么菜?

무슨 음악을 좋아하십니까?
museun eumageul joahasimnikka
你喜欢什么音乐?

무슨 색을 좋아하십니까?
museun saegeul joahasimnikka
你喜欢什么颜色?

무슨 과일을 좋아하십니까?
museun gwaireul joahasimnikka
你喜欢什么水果?

② '~을/를 좋아합니다' : 表示'喜欢~'。

수영을 좋아합니다. : 我喜欢游泳。

야구 하는 것을 좋아합니다.
yaguhaneun geoseul joahamnida
我喜欢打棒球。

탁구 치는 것을 좋아합니다.
takgu chineun geoseul joahamnida
我喜欢打乒乓球。

스키 타는 것을 좋아합니다.
ski taneun geoseul joahamnida
我喜欢滑雪。

태권도 하는 것을 좋아합니다.
taegwondohaneun geoseul joahamnida
我喜欢打跆拳道。

테니스 치는 것을 좋아합니다.
teniseu chineun geoseul joahamnida
我喜欢打网球。

③ '~지만' : 表示'但是~', '可是~', '不过~'。

수영은 좋아하지만, : 我喜欢游泳，但是~
수영은 좋아하지 않지만, : 我不喜欢游泳，但是~

수영은 좋아하지 않지만, 테니스는 좋아합니다.
suyeong-eun joahaji anchiman teniseuneun joahamnida
我不喜欢游泳，可是喜欢打网球。

영화는 좋아하지만, 음악은 좋아하지 않습니다.
yeonghwaneun joahajiman eumageun joahaji anseumnida
我喜欢电影，可是不喜欢音乐。

④ '~지 않겠습니까?' : '要~吗?', '~怎么样?'。

주말에 테니스 치러 가지 않겠습니까? : 周末去打网球怎么样?

골프 치러 가지 않겠습니까?
golpeuchireo gaji anketseumnikka
去打高尔夫球怎么样?

식사하러 가지 않겠습니까?
siksahareo gaji anketseumnikka
去吃饭怎么样?

영화 보러 가지 않겠습니까?
yeonghwa boreo gaji anketseumnikka
去看电影怎么样?

⑤ '(으)러 가다' : 表示 '去~'。

수영하러 갑니다.
: 去游泳。

주스를 마시러 갑니다.
: 喝果汁去。

레스토랑에 점심을 먹으러 갑니다. 去餐厅吃午饭。
restorang-e jeomsimeul meogeureo gamnida

도서관에 공부를 하러 갑니다. 去图书馆学习。
doseogwane gongbureul hareo gamnida

⑥ '~니까' : 表示 '因为'。

수영을 좋아하니까, 같이 가겠습니다.
: 因为我喜欢游泳，要一起去。

한국에서 살았으니까, 한국 말을 잘합니다.
hangugeseo sarasseunikka hanguk mareul jalhamnida
因为我生活在韩国，所以我的韩语很好。

练　习

1 模仿练习。

例子
学校（학교）

（1）喜欢（　　　　）　（2）游泳（　　　　）　（3）不喜欢（　　　　）
（4）做得好（　　　　）　（5）运动（　　　　）　（6）网球（　　　　）

2 模仿例子作练习。

子
테니스, 수영 → 테니스는 좋아하지 않지만, 수영은 좋아합니다.
网球，游泳 → 我不喜欢打网球，可是喜欢游泳。

（1）커피, 주스 → ____________________.
（2）사과, 바나나 → ____________________.

(3) 야구, 농구 → ________________.
(4) 쓰기, 읽기 → ________________.
(5) 라면, 자장면 → ________________.

3 模仿例子作练习。

例子
골프 치다. → 골프 치러 갑시다.

(1) 밥을 먹다. → ________________.
(2) 영화 보다. → ________________.
(3) 커피를 마시다. → ________________.
(4) 수영을 하다. → ________________.
(5) 한국어를 공부하다. → ________________.

4 回答问题.

(1) 무슨 운동을 좋아하십니까? 你喜欢什么运动?
(2) 좋아하는 운동은 무엇입니까? 你最喜欢的运动是什么?
(3) 무슨 운동을 잘합니까? 哪种运动你最拿手?
(4) 무슨 음료를 좋아하십니까? 你喜欢什么饮料?

朗读练习

(1) 어제는 운동과 쇼핑을 했습니다.
昨天锻练身体, 还去买东西了。

(2) 저는 농구를 좋아하지만, 테니스는 좋아하지 않습니다.
我喜欢打篮球, 可是不喜欢打网球。

(3) 무슨 음료수를 드시겠습니까?
你要喝什么饮料?

(4) 영주 씨와 저는 커피를 싫어합니다.
영주和我都不喜欢咖啡。

(5) 주말에 탁구장에 같이 가지 않겠습니까?
周末一起去打乒乓球怎么样?

제19과

第19课

세탁물을 맡기려고 합니다. 我要洗衣服。

句型

1. 재킷을 세탁하려고 합니다. 我要洗夹克。
   jaekiseul setakharyeogo hamnida
2. 금요일 오후까지 배달해 드리겠습니다. 星期五下午能送到。
   geumyoil ohukkaji baedalhae deurigetseumnida

▪会 话▪

会 话 1

영주: 푸휘 씨, 재킷이 아주 멋있군요.
puhwi ssi jaekisi aju meoditgunyo
푸휘先生，你的夹克很好看。

푸휘: 어제 남대문시장에서 샀습니다.
eoje namdaemunsijang-eseo satseumnida
昨天在南大门市场买的。

영주: 그런데, 재킷에 무엇이 묻었군요.
geureonde jaekise mueosi mudeotgunyo
不过，夹克上面沾了点什么。

푸휘: 이런! 사자마자 더러워졌군요. 어떻게 하면 좋겠습니까?
ireon sajamaja deoreowojyeotgunyo otteoke hamyeon joketseumnikka
糟糕！一买就弄脏了，怎么办好呢？

영주: 옆 건물 2층에 세탁소가 있습니다. 같이 갈까요?
yeop geonmul icheung-e setaksoga itseumnida gachi galkkayo
旁边楼房二层有洗衣店，要不要我陪你去？

푸휘: 아니오, 괜찮습니다.
anio gwaenchanseumnida
不用了。

혼자 갈 수 있습니다.
honja gal su itseumnida
我一个人能去。

会话 2　（세탁소에서）（在洗衣店）

setaksoeseo

푸휘: 실례합니다. 이 재킷을 세탁하려고 합니다.
sillyehamnida i jaekiseul setakharyeogo hamnida
麻烦你，我要洗这件夹克。

세탁소 주인: 이런! 많이 더러워졌군요.
ireon mani deoreowojyeotgunyo
哎呀，很脏啊!

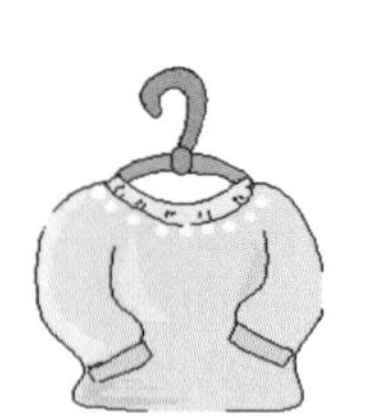

무엇이 묻었습니까?
mueosi mudeotseumnikka
沾的是什么?

푸휘: 모르겠어요. 어제 샀는데…
moreugesseoyo eoje sanneunde
不知道，是昨天刚买的。

세탁비는 얼마입니까?
setakbineun eolmaimnikka
洗衣费要多少钱?

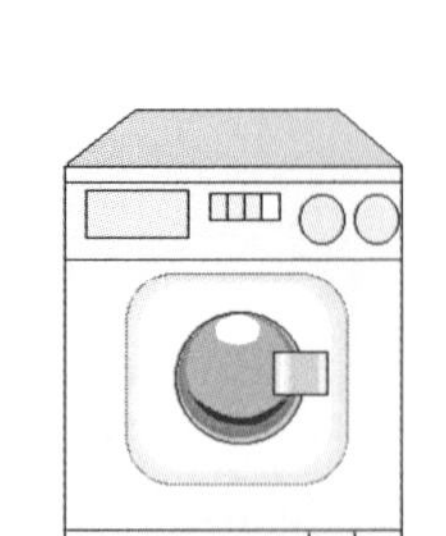

세탁소 주인: 재킷은 6,000원입니다.
jaekiseun yukcheon wonimnida
一件夹克要6,000块。

푸휘: 이번 주 토요일에 입으려고 합니다만, 언제 찾으러 올까요?
ibeon ju toyoire ibeuryeogo hamnidaman eonje chajeureo olkkayo
我打算这星期六穿，什么时候来拿好呢?

세탁소 주인: 금요일 오후까지 배달해 드리겠습니다.
geumyoil ohukkaji baedalhae deurigetseumnida
到星期五下午能送到。

푸휘: 감사합니다.
gamsahamnida
谢谢你。

■生 词■

• 재킷	夹克	• 아주	很	• 멋있다	漂亮 / 好看
• 어제	昨天	• 사다	买	• 묻다	沾
• 배달하다	送到	• 그런데	不过 / 可是	• 이런	糟糕 / 哎呀
• 더러워지다	弄脏	• 옆	旁边	• 건물	楼房
• 2층	二层	• 세탁소	洗衣店	• 같이	一起 / 陪～
• 괜찮습니다	没关系 / 不用了	• 혼자	一个人	• 많이	多 / 很

• 언제	什么时候	• ~만	但 / 只	• 이번 주	这(个)星期
• 금요일	星期五	• 주인	老板	• 오후	下午
• 찾다	拿	• 세탁비	洗衣费	• 입다	穿
• 토요일	星期六	• 실례합니다	麻烦你	• 세탁하려고	要洗
• 모르다	不知道	• 배달해 드리다	送到	• 감사합니다	谢谢
• 남대문시장	南大门市场	• 사자마자	一买就~		

关联词语

세탁을 하다
setageul hada
洗衣服

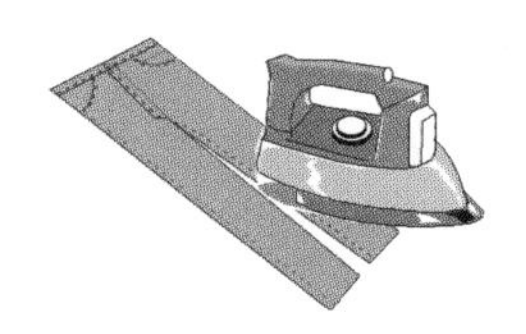

다림질을 하다
darimjireul hada
烫衣服 / 熨

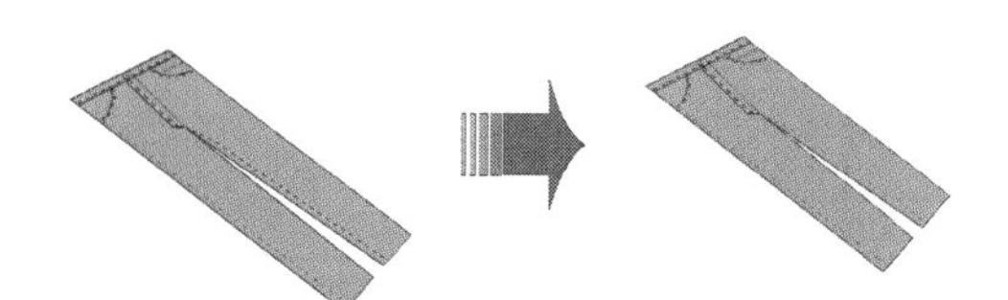

바짓단을 줄이다
bajitdaneul jurida
剪掉裤长

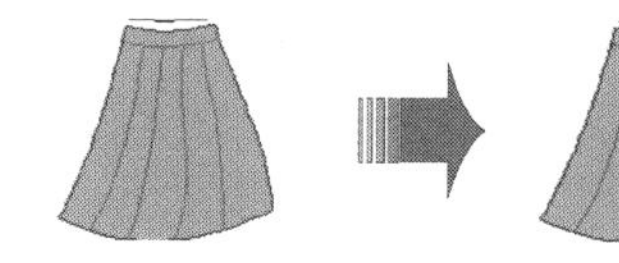

허릿단을 늘이다
heoritdaneul neurida
加宽腰围

语法理解

• 1 '~자마자' : '一~就~'。

사자마자 : 一买就~

밥을 먹자마자 회사에 갔습니다.
babeul meokjamaja hoesae gatseumnida
我一吃饭就上班了。

일어나자마자 학교에 갔습니다.
ireonajamaja hakgyoe gatseumnida
我一起床就去学校了。

집에 가자마자 친구에게 전화했습니다.
jibe gajamaja chinguege jeonhwahaetseumnida
我一回家就给朋友打电话了。

② '~(으)려고 합니다' : '要~'。

이 재킷을 세탁하려고 합니다.
：我要洗这件夹克。

무슨 운동을 하려고 합니까? 你要做什么运动?
museun undong-eul haryeogo hamnikka

한국어를 공부하려고 합니다. 我要学韩语。
hangugeoreul gongbuharyeogo hamnida

친구를 만나려고 합니다. 我要见朋友。
chingureul mannaryeogo hamnida

양복을 사려고 합니다. 我要买件西服。
yangbogeul saryeogo hamnida

③ '~까지' : '到~'。

수요일까지 숙제를 제출하겠습니다.
：我到星期三之前交作业。

수원까지 40분 걸립니다. 到水原要花40分钟。
suwonkkaji sasipbun geolrimnida

도서관까지 걸어갔습니다. 走着到图书馆。
doseogwankkaji georeogatsemunida

밤 늦게까지 책을 읽었습니다. 我看书看到了深夜。
bam neutgekkaji chaegeul ilgeotseumida

4시까지 한국어를 공부합니다. 学韩语一直到4点钟。
nesikkaji hangugeoreul gongbuhamnida

1 模仿例子完成句子。

例子
세탁물을 맡기다. → 세탁물을 맡기겠습니다.
洗衣服。 → 我要洗衣服。

(1) 양복을 사다. 买西服。 → ________________.
(2) 세탁소에 가다. 去洗衣店。 → ________________.
(3) 선물을 배달하다. 送礼物。 → ________________.
(4) 토요일에 찾다. 星期六取。 → ________________.
(5) 같이 가다. 一起去。 → ________________.

2 模仿例子完成句子。(2 ~ 3)

例子
공부하다. → 공부하려고 합니다.
学习。 → 我要学习。

(1) 커피를 마시다. 喝咖啡。 → ________________.
(2) 수영을 하다. 游泳。 → ________________.
(3) 세탁물을 맡기다. 洗衣服。 → ________________.
(4) 일찍 자다. 早点睡。 → ________________.

3 模仿例子完成句子。

例子
파티가 끝나다./세탁소에 가다. → 파티가 끝나자마자 세탁소에 갔습니다.
宴会完了。/去洗衣店。 → 宴会一完，我就去洗衣店了。

(1) 우유를 마시다./운동을 하다. 喝牛奶。/锻炼身体。
→ ________________.
(2) 양복을 사다./세탁하다. 买西服。/洗衣。
→ ________________.

(3) 수업이 끝나다./식당에 가다. 下课。/ 去餐厅。

→ ____.

(4) 일찍 일어나다./회사에 가다. 起得早。/ 去公司。

→ ____.

4 回答问题

(1) 세탁소에 간 적이 있습니까?
你去过洗衣店吗?

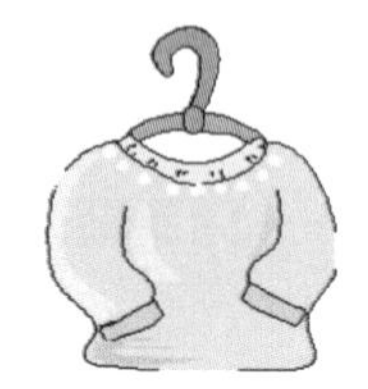

(2) 무엇을 했습니까?
你做了什么?

(3) 세탁비는 양복 한 벌에 얼마입니까?
洗一件西服多少钱?

朗读练习

(1) 어제 백화점에서 재킷을 샀습니다.
昨天在百货商店买了件夹克。

(2) 세탁비는 얼마입니까?
洗衣费多少钱?

(3) 언제 찾으러 올까요?
我什么时候来拿好呢?

(4) 투피스 한 벌에 6,000원입니다.
一个两件套装要6,000块。

(5) 금요일 오후까지 배달해 드리겠습니다.
到星期五下午能送到。

第三部分

제 20 과

第20课

편지를 쓰고 있습니다. 我在写信

句型

1. 부모님께 편지를 쓰고 있습니다. 我在给父母写信。
   bumonimkke pyeonjireul sseugo itseumnida
2. 이 편지를 중국으로 부치려고 합니다. 我要把这封信寄到中国去。
   i pyeonjireul jung-gugeuro buchiryeogo hamnida

■ 会 话 ■

会 话 1

영주: 무엇을 하고 있습니까?
mueoseul hago itseumnikka
你现在干什么?

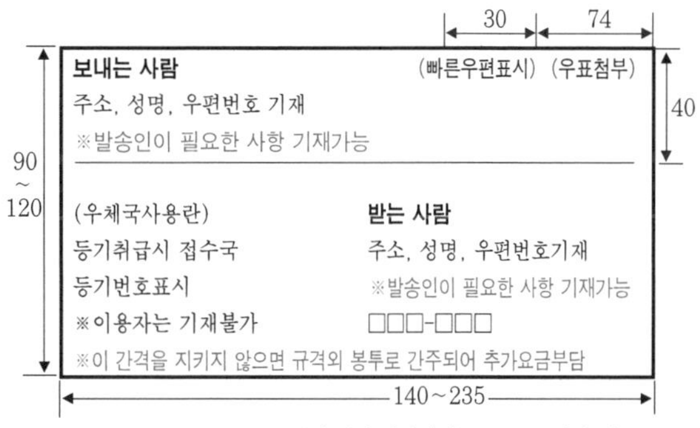

푸휘: 편지를 쓰고 있습니다.
pyeonjireul sseugo itseumnida
我在写信。

영주: 누구에게 쓰고 있습니까?
nuguege sseugo itseumnikka
你在给谁写信?

푸휘: 부모님께 쓰고 있습니다.
bumonimkke sseugo itseumnida
我在给父母写信。

그런데, 봉투는 어떻게 씁니까? 可是信封怎么写?
geureonde bongtuneun eotteoke sseumnikka

영주: 앞면 중간 부분에 받을 사람의 주소와 이름을 쓰고,
apmyeon junggan bubune badeul saramui jusowa ireumeul sseugo
在信封前面的中间写收信人的地址和姓名,

왼쪽 윗부분에 보내는 사람의 주소와 이름을 씁니다.
oenjjok witbubune bonaeneun saramui jusowa ireumeul sseumnida
左上面写寄信人的地址和姓名。

푸휘: 소포를 부치려면 우체국에 가야 됩니까?
soporeul buchiryeomyeon ucheguge gaya doemnikka
如果要寄包裹一定要到邮局吗?

영주: 예, 직접 가셔야 됩니다.
ye jikjeop gasyeoya doemnida
是，一定要自己到邮局。

会话 2 (우체국에서) (在邮局)
uchegugeseo

푸휘: 이 편지를 중국으로 부치려고 합니다.
i pyeonjireul jung-gugeuro buchiryeogo hamnida
我要把这封信寄到中国去。

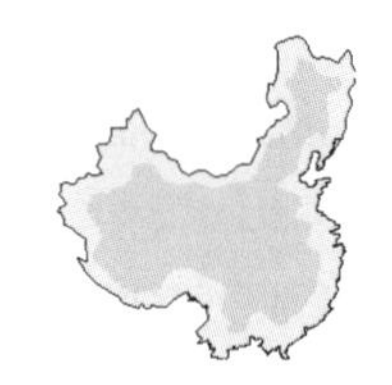

직원: 360원입니다.
sambaek-yuksip wonimnida
360块钱。

푸휘: 이 소포도 부쳐 주십시오.
i sopodo buchyeo jusipsio
我还要寄这包裹。

직원: 4,200원입니다.
sacheonibaek wonimnida
4,200块钱。

깨지는 물건은 아닙니까?
kkaejineun mulgeoneun animnikka
不是易碎品吗?

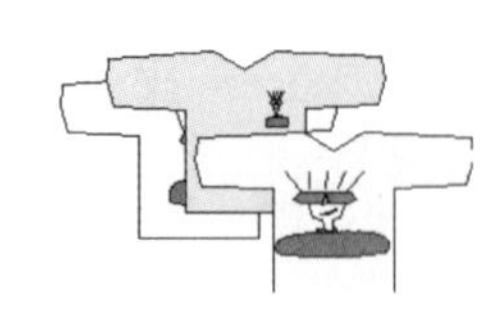

푸휘: 예, 티셔츠와 손수건입니다.
ye tisyeocheuwa sonsugeonimnida
不是，那是T恤和手绢。

그런데, 어느 정도 걸립니까?
geureonde eoneu jeongdo geolrimnikka
不过，需要多长时间?

직원: 요즈음은 바빠서 1주일에서 10일 정도 걸립니다.
yojeueumeun bappaseo iljuireseo sibil jeongdo geolrimnida
最近很忙，需要1个星期到10天左右。

■生 词■

- 하다 做/干
- 쓰고 있다 在写
- 받을 사람 收信人
- 우체국 邮局
- 물건 东西/~品
- 티셔츠 T恤
- 요즈음 最近
- 부모님 父母
- 중간 부분 中间
- 보내는 사람 寄信人
- 아닙니까? 不是~吗?
- 걸리다 需要~
- 직접 自己
- 편지 信
- 부모님께 给父母
- 윗부분 上面
- 가야 되다 要去/要到
- 부쳐 주다 寄/寄送
- 어느 정도 多少/多长
- 하고 있다 在~
- 그런데 那/不过
- 주소 地址
- 부치다 寄
- 손수건 手绢
- ~정도 左右
- 깨지다 碎
- 봉투 信封
- 앞면 前面
- 이름 姓名
- 소포 包裹
- 중국 中国
- 달다 称
- 쓰다 写
- 어떻게 怎么
- 왼쪽 左
- 가다 去/到
- 바쁘다 忙
- 바빠서 (因为)很忙

关联词语

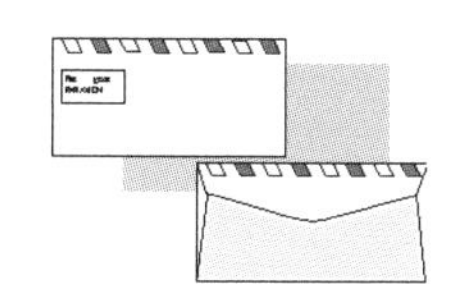

국제우편 国际邮件
gukjeupyeon

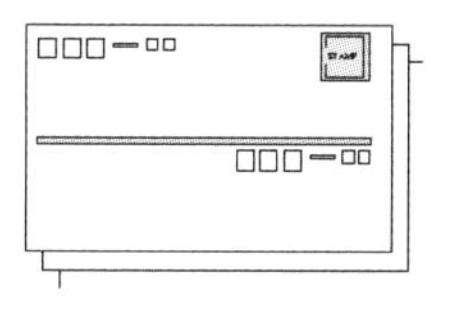

국내우편 国内邮件
guknaeupyeon

소포 包裹
sopo

빠른우편 快件
ppareunupyeon

특수우편물수령증

접수번호 번
종 별 빠른 보통 우편
중 량 g
요 금 원

부가취급	배증	내증	민원	특급
	특사	특송	통화	물품
	유가증권	대금교환	접수시각	우편자루
금액				원

*이 영수증은 손해 배상등의 청구에 필요하오니 잘 보관하십시오.
3402341-04311일 67㎜×95㎜

등기 挂号信
deunggi

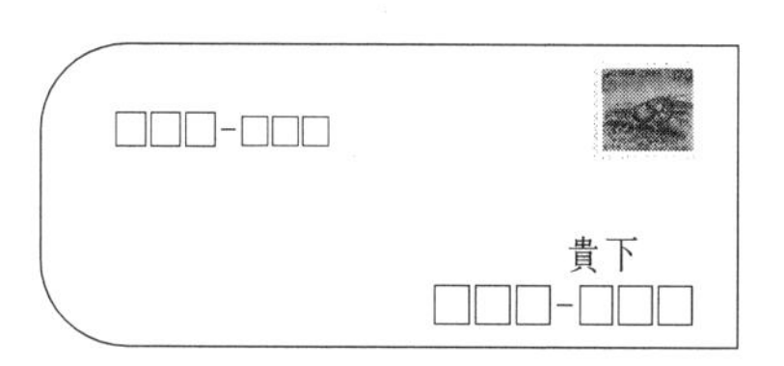

보통우편 平信
botongupyeon

语法理解

① '～고 있습니다' : '正在做～'。

편지를 쓰고 있습니다. : 在写信。

한국어를 공부하고 있습니다. 在学习韩语。
hangugeoreul gongbuhago itseumnida

중국어 숙제를 하고 있습니다. 在做汉语作业。
junggugeo sukjereul hago itseumnida

소포를 부치고 있습니다. 在寄包裹。
soporeul buchigo itseumnida

② '～고' : 连接两个并列关系句子的助词。

동생은 공부하고, 나는 편지를 씁니다.
: 弟弟在学习, 我在写信。

친구는 밥을 먹고, 나는 빵을 먹습니다.
chinguneun babeul meokgo naneun ppang-eul meokseumnida
朋友吃米饭, 我吃面包。

친구는 10시에 자고, 나는 12시에 잡니다.
chinguneun yeolsie jago naneun yeoldusie jamnida
朋友10点钟睡觉, 我12点钟睡觉。

영주 씨는 테니스를 좋아하고, 나는 수영을 좋아합니다.
yeongju ssineun teniseureul joahago naneun suyeong-eul joahamnida
영주喜欢打网球, 我喜欢游泳。

③ '～어/아서' : '因为～所以～'。

바빠서 오래 걸립니다. : (因为)很忙, 需要很长时间。

게을러서 늦게 일어납니다. 因为很懒, 早上起得很晚。
geeulreoseo neutge ireonamnida

슬퍼서 울었습니다. 因为很伤心, 哭了。
seulpeoseo ureotseumnida

④ '~정도' : '大概~左右'。

학생이 20명 정도입니다. : 学生大概20个左右。

학교까지 몇 분 정도 걸립니까?
hakgyokkaji myeot bun jeongdo geolrimnikka
到学校需要多长时间?

⑤ '~면', ~(으)려면' : '如果~'。

우체국에 가면 소포를 부칠 수 있습니다.
: 如果到邮局去, 你能寄包裹。

소포를 부치려면 우체국에 가야 됩니다.
: 如果要寄包裹一定要到邮局去。

공부를 하려면 도서관에 가야 합니다.
gongbureul haryeomyeon doseogwane gaya hamnida
如果要学习一定要到图书馆去。

빨리 달리면 경주에서 이길 수 있습니다.
ppalli dalrimyeon gyeongjueseo igil su itseumnida
如果跑得快, 会赢这场比赛。

练 习

1 模仿例子造句。

(1)

例子
편지를 쓰다. → 편지를 쓰려면 어떻게 합니까?

① 소포를 부치다. 寄包裹。
→ ______________________?

② 우체국에 가다. 去邮局。
→ ______________________?

③ 무게를 달다. 称一称。

→ ______________________________ ?

④ 도서관에 가다. 去图书馆。

→ ______________________________ ?

⑤ 양복을 사다. 买西服。

→ ______________________________ ?

(2)

例子

편지를 쓰다. → 편지를 쓰고 있습니다.

① 무게를 달다. 称一称。

→ ______________________________ .

② 한국어를 공부하다. 学韩语。

→ ______________________________ .

③ 우유를 마시다. 喝牛奶。

→ ______________________________ .

④ 책을 읽다. 看书。

→ ______________________________ .

⑤ 전화를 걸다. 打电话。

→ ______________________________ .

2 填空。

(1) 친구(　　) 편지를 쓰고 있습니다.
　　我在给朋友写信。

(2) 할아버지(　　) 전화를 걸었습니다.
　　我给爷爷打电话了。

(3) 선생님(　　) 소포를 부쳤습니다.
　　老师到邮局去寄包裹了。

(4) 동생(　　) 선물을 주었습니다.
　　送给弟弟礼物了。

(5) 사장님(　　) 한국어를 가르쳐 드리고 있습니다.
　　我在给老板教韩语呢。

3 回答问题

(1) 편지 봉투는 어떻게 씁니까?
　信封怎么写?

(2) 소포를 부치려면 어떻게 합니까?
　要寄包裹怎么寄?

(3) 우체국에 간 적이 있습니까?
　你去过邮局吗?

(4) 부모님께 편지를 쓴 적이 있습니까?
　你给父母写过信吗?

朗读练习

(1) 친구에게 편지를 쓰고 있습니다.
　我正在给朋友写信。

(2) 부모님께 엽서를 쓰고 있습니다.
　我正在给父母写明信片。

(3) 오늘 우체국에서 편지와 소포를 부쳤습니다.
　我今天去邮局寄了信和包裹。

(4) 깨지는 물건은 아닙니까?
　不是易碎品吗?

(5) 이 편지를 미얀마에 부치려고 합니다.
　我要把这封信寄到缅甸去。

KOREAN-CHINESE-ENGLISH-JAPANESE INDEX

(국문 · 중문 · 영문 · 일문 색인)

ㄱ

마십시오 98	不要～ bùyào～	please don't do....	飲んでください
마음에 86	在心里 zài xīnli	in mind	心に
마음에 들어요 86	喜欢 xǐhuan	to be agreeable to one's mind	気にいる
～만 111	但 dàn	only	～だけ
만나서 1	见到 jiàndào	to meet	会う
만날까요? 55	～见面? ～jiànmiàn	Shall (we) meet...?	会いますか?
만들다 81	办 bàn/作 zuò	to make	作る
만들려고 81	要办～ yào bàn～	to make	作ろうと
많다 18	多 duō	many	多い
많이 110	多 duō / 很 hěn	a lot, much	たくさん
말씀하다 98	说 shuō	to say, honorific	おっしゃる
말씀해 주세요 98	请说 qǐng shuō	please say...	おっしゃってください
말하다 97	说 shuō	to speak	言う、しゃべる
맛있다 50	好吃 hǎochī	to be delicious	おいしい
매일 98	每天 měitiān	every day	毎日
맥도날드 55	麦当劳 Màidāngláo	McDonald's	マクドナルド
멋있다 110	好看 hǎokàn / 漂亮 piàoliang	to look good	かっこいい
메뉴 49	菜单 càidān	menu	メニュー
몇 개 37	几个 jǐ ge / 几支 jǐ zhī	how many	いくつ
몇 명 37	几个(人) jǐ ge (rén)	how many people	何名、何人
몇 시 55	几点 jǐ diǎn	what time	何時
모두 43	一共 yīgòng	all	みんな、全部
모레 32	后天 hòutiān	the day after tomorrow	あさって
모르다 111	不知道 bùzhīdào	don't know	知らない、分からない
모임 91	会 huì	gathering / get together	集まり、会合
목걸이 19	项链 xiàngliàn	necklace	ネックレス
무궁화호 67	无穷花号 wúqiónghuāhào	Mugunghwa-ho (name of train)	ムグンファ号
무슨(adj.) 103	什么 shénme	what	何
무슨, 무엇 31	什么 shénme/几 jǐ	what	何
무엇 19	什么 shénme	what	なに
무엇을 7	什么 shénme	what	何を
무엇을 합니까? 7	做什么? zuò shénme	what do (you) do?	何をしますか
무엇입니까? 1	(是)什么? (shì) shénme	what is (it)?	何ですか?
묻다 109	沾 zhān	to stain	尋ねる
물건 117	东西 dōngxi / ～品 ～pǐn	things, products	物
미얀마 2	缅甸 Miǎndiàn	Myanmar	ミャンマー
밀크커피 50	牛奶咖啡 níunǎi kāfēi	coffee with milk	ミルクコーヒー

ㅂ

바나나 43	香蕉 xiāngjiāo	banana	バナナ
바라다 91	希望 xīwàng	wish to, hope to	願う

신분증 79	身份证 shēnfenzhèng	an identification card	身分証
신어 보세요 86	试一下 shì yīxià	try to wear	履いてみる
신청서 79	申请表 shēnqǐngbiǎo	application form	申請書
실례합니다 13	请问 qǐng wèn	excuse me	失礼します
싫어하다 104	不喜欢 bùxǐhuan	to dislike	嫌い
싫어해요 25	不喜欢 bùxǐhuan	(I) dislike....	嫌いです
심한 98	强烈的 qiángliède	severe	ひどい
십분 정도 61	大概10分种 dàgài shí fēn zhōng	for about 10 minutes	10分くらい
쓰고 있다 117	在写 zài xiě	(I) am writing	書いている、使っている
쓰다 81	写 xiě	to write / to fill in	書く
씨 55	~先生 xiānsheng	honorific suffix	~さん
~씨에게 93	亲爱的~ qīn'àide~	to Mr. (Ms.) XX	~さんに

ㅇ

아니다 2	不 bù / 不是 bùshì	no	いいえ
아니오 2	不 bù / 不是 bùshì	no	いいえ
아닙니까? 116	不是~吗? bùshì~ma	isn't (it) ...?	~ではありませんか
아닙니다 2	不是 bùshì	to be not	~ではありません
아디다스 86	阿迪达斯 ādídásī	Addidas	アディダス
아버지 7	爸爸 bàba	father	父、お父さん
아주 110	很 hěn	very	とても
아프다 98	疼 téng / 不舒服 bùshūfu	to be sick	病いだ、(体の部位が)痛い
안 37	不 bù / 没 méi	not	~ない
안 계십니다 56	不在 bùzài	(he is) not here	いらっしゃらない
안내원 85	服务员 fúwùyuán	information personnel	案内員
안녕하세요? 1	你好 nǐ hǎo	hi	こんにちは(挨拶の言葉)
앉다 75	坐 zuò	to sit	座る
않다 104	不~ bù~	not to do	~ない
알림 91	通知 tōngzhī	notice	お知らせ
앞면 115	前面 qiánmian	front	前面
약국 13	药房 yàofáng	drugstore	薬局
어느 1	哪 nǎ / 什么 shénme	which	どの
어느 것 50	哪一个 nǎ yī ge	which one	どれ
어느 정도 116	多少 duōshao / 多长 duōcháng	how long	どれぐらい
어느 쪽 62	往哪儿 wǎng nǎr	which way	どちら、どっち
어디 13	哪里 nǎli / 哪儿 nǎr	where	どこ
어디에서 55	在哪儿 zài nǎr	where	どこで
어떻게 49	怎么 zěnme	how	どうやって
어떻게 가요? 61	怎么走 zěnme zǒu	how (do I) get there?	どうやって行きますか
어떻습니까? 103	怎么样 zěnmeyàng / 你呢? nǐ ne	how is (it)?	どうですか
어머니 7	妈妈 māma	mother	母、お母さん

FIRST STEP IN KOREAN FOR CHINESE

2001년 6월 5일 초 판 발행
2018년 4월 30일 초 판 제10쇄 발행

原著者 慶熙大學校 平生敎育院
代表著者 李 淑 子
發行者 金 哲 煥
發行處 民衆書林

10881 경기도 파주시 회동길 37-29
(파주출판문화정보산업단지)
전화 (영업)031) 955-6500~6 (편집)031) 955-6507
Fax (영업)031) 955-6525 (편집)031) 955-6527
홈페이지 http: // www.minjungdic.co.kr
등록 1979. 7. 23. 제2-61호

정가 13,000원

ISBN 978-89-387-0006-3 13710